타인을 안아주듯
나를 안았다

타인을 안아주듯
나를 안았다

흔글 지음

알에이치코리아

종종 이런 생각을 한다.
나는 내 삶의 어디까지 걸어온 걸까.
어림잡아 사분의 일쯤 도달하지 않았을까.

나는 아직 인생의 진리를 깨우치거나
삶에서 마주하는 순간의 위기를
유연하게 대처할 만큼 살지 못했다.

매 순간이 낯설고 두렵고
용기가 필요한 흔한 청춘일 뿐.
삶의 정답 따위를 알지 못한다.

하지만 살아가면서 중요한 게
과연 정답을 알아차리는 일일까.
정답을 안다고 해서
삶이 행복한 방향으로만 흐를까.

나는 이 책을 통해 말하고 싶다.
살아가면서 중요한 건 인생의 진리도
물 흐르듯 살아가는 방법도 아닌

'나' 자신을 돌보고
'나'를 알기 위해 노력하고
'나'를 사랑하게 되는 일이라는 걸.

그러니 어제보다 오늘 더 나를 사랑하며
타인을 안아주면서도 정작 자신에겐 무심했던
과거와 작별할 수 있기를.

이제는 나를 사랑할 차례다.

작가의 말 4

1장

이제 내 것을 사랑할 차례

완벽해지기 위해서
애쓰지 않을 것 14

내가 가지고 있는 것 16

나 19

착한 아이 증후군 22

애쓰지 않아도 된다 24

당신은 당신이 소중하다는 것을
아직 잘 모른다 26

나를 알아가려는 노력 29

못하는 것을 잘하려 애쓰지 마라 32

감정을 억눌러왔다면 34

누군가의 삶에는 꼭 필요한 사람 36

숫자로 치환되는 삶 38

멋진 것들을 보며
자신을 하찮게 생각 말 것 41

유별난 것이 비난당할 때 44

타인은 내 삶에 관심이 없다 46

인정할 줄 아는 삶 47

사람은 누구나 다른 길을 걷는다 50

내가 아닌 삶 54

되고 싶은 것이 없다니 56

모든 사람이 나를 좋아하는 건
불가능하다 58

타인의 삶을 들여다보는 것 59

저마다의 이름으로 61

관계의 속도 63

꿈이 뭐야 66

개인으로서 살아간다는 것 68

나를 알아가려는 연습이 필요하다 71

틈이 없는 사람은 없다 74

차례

내 마음에 꽃으로 피는 말 76

타인을 위로하듯 나를 위로한다 79

너무 많은 질투는 독이다 82

타인의 말에 휘둘리지 않기 85

관계 때문에 아픈 것은
네 탓이 아니다 88

지나친 자기 검열을 멈출 것 90

마음을 먼저 채운다 92

내면을 가꾸는 몇 가지 방법 94

완벽한 사람이 되지 않아도 된다 98

무례한 사람을 만난다면 100

나를 아프게 하는 사람에게
당당할 용기 102

내가 가진 성질을 억지로
바꾸려 하지 말자 104

그저 다른 삶이다 106

지금 나의 모습 109

관계에 신중할 것 112

자존감 도둑 114

피할 수 없는 마찰도 있다 116

bye bye my blue 118

취향에 우위는 없다 120

유행은 돌고 돈다 122

행복의 크기를 알아낼 것 124

2장

넘어져도 더 이상 울지 않아도 돼

사소한 다짐들 128

슬럼프 129

연약한 어른 132

삶은 그림과 같아서 134

편리한 세상 136

느리지만 예쁜 길 139

출발이 늦다고 해서

불안해지지 말자 142

변화가 두려운 그대에게 144

4등의 행복 146

이유 없는 화살에

아파하지 않을 것 148

내일보다 오늘을 더 소중히 150

우리는 실패가 무엇인지 모른다 151

당신의 작은 성취 153

후회하는 시간 줄이기 156

동대문 새벽시장 158

노잼시기 160

넘어진다고 해서

반드시 울 필요는 없다 163

Just do it 166

지금을 산다 168

삶의 질을 높이는 오늘 170

덤덤하게 산다 173

새해 176

멋진 나이 178

한치 앞을 예측할 수 없는 인생 180

나, 그리고 모두에게

하고 싶은 말 182

과거를 기억할 것 183

저항을 이겨내는 삶 186

긍정의 힘 188

3월 190

순간을 소중히 대할 것 193

시작은 한 걸음부터 196

기회는 반드시 찾아온다 198

아쉬운 다짐 203

감정이 요동칠 때 204

못하는 게 아니라 안하는 거야 206

때때로 우리는 너무나 먼 곳을
바라보며 사는 것 같아 208

월터의 상상은 현실이 된다 211

저마다의 처음을 견디는 일 214

변해간다는 것 216

힘 빼는 연습 218

불필요한 걱정을 줄이는 연습 220

급할수록 돌아가라 222

외롭고 힘든 여정 227

인생이라는 나비효과 230

잘 살아왔다 232

성공의 정의에 관하여 234

청춘은 아무도 답을 모른다 237

3장
——
완벽하지 않은 나와 당신이지만

다정한 마음 242

사랑은 사람을 한 단계, 아니 수없이
성장시키는 것 같아요 243

가벼운 사람 245

우리의 시선 247

작고 예쁜 순간들이 모여
사랑이 된다 249

영원히 곁에 머무는
사람은 없다 252

적당한 거리 254

소중한 사람들을
잃어버리기 전에 256

어떤 말이든 신중히 259

급브레이크를 밟았을 때 261

색안경을 벗고서 263

계산적으로 다가오는 사람들에
너무 아파하지 않을 것 265

혼자가 아닌 삶 268

모든 것에 보답하지 않아도
괜찮다 271

가슴 아픈 말 273

답장 274

인맥이 모든 것은 아니다 276

모르는 사람에게
손 내밀어주는 세상 278

정해진 인연은 없다 281

길 284

반대 입장 285

내 곁에 숨어 있는 위로들 287

좋은 관계를 만드는 방법 290

쓸모없는 발걸음이 있을까 292

사랑은 차선책이 될 수 없다 294

맹목적인 사랑은
나를 위한 길이 아니다 296

지나치게 신경 쓰게 되는 연애 298

마음을 신경 쓰는 사람이 되기를 300

삶은 길다 302

사랑을 위해 주변 관계에
소홀하지 않게 303

정 305

우리가 잘되는 길 308

끝까지 애쓰기 310

생일 313

말 한마디의 중요성 316

'다름'과 '틀림'의 차이 318

오해 320

마음을 쓰는 쪽 321

기대를 낮추는 일 323

'나'라는 존재를 사랑해주는 사람 325

조심스러울 필요 328

한 줌의 후회 329

들을 줄 아는 사람 332

관계를 건강히 지키는 방법 334

남은 삶 335

나를 알아주는 소수의 사람 336

당신은 지금도 분명 빛나는 사람 338

첫눈 340

에필로그 342

1장

이제 내 것을

사랑할 차례

완벽해지기 위해서
애쓰지 않을 것

재작년 한 독자님으로부터 메시지를 받았다.
음악을 전공하고 있는데 원하는 대학에 가고 싶어서
힘든 입시를 다시 준비한다는 얘기였다.
자신감을 가지고 꿈을 향해 달려갔는데
이것저것 겪을수록 어려워지고 자존감도 낮아졌다고
너무나 속상하다는 독자님을 보면서
청춘이라면 누구나 이런 고민을 하지 않을까 생각했다.

그토록 바라던 꿈에 가까워졌는데
현실의 벽은 생각보다 높고
내가 했던 노력보다 더 큰 노력,
내게는 없는 다른 재능이 필요하다는 것을
알게 될 때는 깊이 좌절하게 되니까.

독자님은 덧붙이는 말로
내가 썼던 〈미완성 인생〉이라는 글에서
'만약 인생이 퍼즐이라면 지금은 퍼즐을 완벽히 맞출 때가

아니라 아직 조각들을 모아야 할 때니까.'라는 구절이
힘이 되었다고 말씀해주셨다.
덕분에 완벽해지기 위해 애쓰지 않게 되었다고.
더 많은 조각을 모아 삶을 채워야겠다고 생각하게 되었다고.

나는 그 메시지를 보면서
힘든 길이지만 용기 있게 떠날 준비를 하는 독자님에게
조용한 응원을 보냈고 몇 달 뒤 마침내 답장을 받았다.
원하는 대학에 드디어 입학하게 되었다는 꿈같은 이야기와
그때 힘이 되어주셔서 감사하다는 말까지.

우리는 종종 인생을 완벽히 맞추려 애쓰곤 한다.
조각이 부족해서 맞춰지지 않는 것인데도
자신이 완벽하지 못해서 그런 거라 탓하기도 한다.

인생이라는 거대한 퍼즐은
나 자신과 함께 성장하기 때문에
지금은 그 퍼즐을 절대로 완벽히 맞출 수 없다.
그러니 완벽하기 위해서 애쓰지 않았으면 좋겠다.
우리는 그저 수많은 조각을 하나둘 찾아내면서
느끼는 감정들을 가슴 깊숙이 기억하면 된다.

내가 가지고 있는 것

모든 일에 열정적이고, 성실하며
포기하는 법을 모르던 한 친구가 있었다.
그 친구는 줄곧 회사만 다니다가 퇴사를 하고
난생처음 해보는 제과제빵에 뛰어들었는데,
자신의 실수와 타인의 꾸중 때문에
자존감이 많이 낮아졌다고 했다.

내가 생각하는 그 친구의 가치는
'제과제빵을 잘하는 것'이 아니라
'성실하고 포기하지 않는 정신력'이다.
곁에서 오래 봐온 결과
어떤 일을 하든지 포기하지 않으며,
매사에 열심인 친구였으니까.
그런데 왜 그 일을 못한다는 이유로 힘들어하는 걸까.
맨날 그림만 그리던 화가가 처음으로 작곡에 뛰어든 셈이니
헤매는 게 당연하고, 실수하는 것이 당연한데 말이다.

우리는 자신이 가진 장점으로
부족함을 상쇄할 수 있는데도 불구하고
누군가가 나를 지적하거나 깎아내릴 때
그 말을 그대로 받아들이곤 한다.
하지만 우리에게는 나를 불편하게 만드는 말들을
거부하고 외면할 수 있는 권리가 있다.
우리가 우선으로 생각하고 경청해야 하는 것은
어쩌면 타인의 말들이 아닌 나의 생각인지도 모른다.

지난 주말, 미용실에서 파마한 내 모습을
다른 누군가가 비웃는다고 해도
내가 만족한다면 그 말들을 무시하면 되는 것처럼
누군가 나에 대해 험담을 하고 비난한다고 해도
스스로 그렇게 생각하지 않는다면
그 말을 받아들이지 않고 쳐내면 되는 것이다.

나는 그 친구에게 이렇게 말해주었다.
"너는 너만의 가치가 있고, 타인이 지적하는 말들에 굳이 아파
할 필요 없어. 사람은 누구나 실수를 하고, 배운 적도 없는 일
을 한다면 실수가 잦은 게 당연하지. 포기하지 않고 매사에 열
심인 게 네가 가진 강점이니까 너무 기죽지 마. 언젠가는 분명
능숙해지는 날이 올 거라고 난 확신해."

내가 가진 가치를 믿을 것.

그리고, 타인의 말을 무조건 받아들이지 않을 것.

누군가 나를 불편하게 만들 때마다 명심해야 할 말이다.

나

나는 침묵을 좋아해.

나는 가을을 좋아해.

나는 주말의 여유로움을 좋아해.

나는 조용한 것을 좋아해.

나는 안부를 좋아해.

나는 추억 속에 사는 걸 좋아해.

나는 제주의 바다를 좋아해.

나는 소복하게 쌓인 눈을 밟는 순간을 좋아해.

나는 엄마의 웃음을 좋아해.

나는 정을 좋아해.

나는 옛날 사진들을 좋아해.

나는 펑펑 우는 그 순간을 좋아해.

나는 걱정 없는 순간을 좋아해.

나는 햇살을 좋아해.

나는 발라드를 좋아해.

나는 나로 인해 웃는 타인의 웃음을 좋아해.

나는 노래하는 순간을 좋아해.

나는 달을 좋아해.

나는 책 냄새를 좋아해.

나는 비 오는 날 지하 주차장의 냄새를 좋아해.

나는 푹 끓인 라면을 먹던 순간을 좋아해.

나는 고등학생 시절 추억을 좋아해.

나는 노력했던 순간을 좋아해.

나는 무기력한 때를 좋아해.

나는 손이 아플 만큼 정성껏 편지를 쓰는 걸 좋아해.

나는 사색을 좋아해.

나는 텅 빈 거리를 좋아해.

나는 겨울의 냄새를 좋아해.

나는 친구를 좋아해.

나는 외로움을 좋아해.

나는 따뜻함을 좋아해.

나는 다정함을 좋아해.

난 내 삶을 좋아해.

당신은 자신을 얼마나 잘 알고 있나요.

모르겠다면 언제라도 당신을 나열해보기를 바라요.

* BGM: Harvard - clean&dirty

  이 노래와 함께 읽어보세요.

착한 아이 증후군

어렸을 때 충분한 사랑을 받고 자라지 못했거나,
버림받을지도 모른다는 공포를 느꼈거나,
따스한 온기를 느끼지 못했던 사람의 마음 한편에는
일종의 방어기제가 숨어 있다.

버림받지 않기 위해서는
어떻게든 착한 모습을 보이고
착한 행동을 해야만 한다고
자신의 감정을 숨기고 표현하지 못한 채
그렇게 홀로 긴 연극을 하는 것이다.

나도 한때는 '착한 아이 증후군'처럼
진짜 모습을 숨기고 남들을 대했다.
불쾌한 일이 생겨도, 기분이 나빠도
그저 웃기만 했고 내 마음을 돌보지 못했다.
타인이 나를 떠나가는 것, 그게 뭐라고.

착한 사람이어야만 나를 좋아해 주는
그런 사람들을 잃는 것이 뭐라고.

이제는 굳이 그런 노력을 쏟지 않는다.
내가 잘못하지 않은 일은 구태여 사과하지 않으며
누군가의 명령에 복종하지도 않는다.
언제나 웃으려 하지도 않는다.

매 순간 그저 나의 감정에 충실하고 적절한 선을 지킬 뿐이다.
나로 살아가는데 타인이 마음에 들어하지 않는다고 해서
왜 나 자신을 바꿔야 하는가?
그저 그런 사람에게서 멀어지면 되는데.

당신도 한때는 착한 아이였겠지만 이제는 내려놓아도 괜찮다.
있는 그대로의 모습으로 살아가려는
당신을 싫어하는 사람은 잃어도 아무런 타격이 없다.
그는 있는 그대로의 당신을 존중하지 않는 사람이었으니까.

부디 자신을 잃어버리지 말기를.

01 이제 내 것을 사랑할 차례

애쓰지 않아도 된다

예전에는 힘든 일이 생기면 어떻게든 버티려고 했다.
여기서 포기해버리고 도망가게 된다면
나는 이 상황에 굴복하게 되는 거고
결국 내가 패배하게 되는 거라면서
나를 더 구석으로 몰았고
스스로를 괴롭게 만들었다.

하지만 언제부턴가는 그 생각이 조금씩 달라졌다.
나를 힘들게 만드는 관계들,
나를 지치게 하는 상황과
나를 아프게 하는 말들을 버티는 것이
행복으로 가는 길이 아니라는 것을 깨닫게 되었다.

그 이후로는 그런 순간이 오면
더 이상 버티지 않고 그냥 그곳을 빠져나왔다.
그런 관계라면 칼같이 끊어버렸다.

경우의 수를 따져가면서까지
나 자신을 혹사시키고 싶지 않았고
진흙 속에서 진주를 찾는 것처럼
불행 속에서 행복을 찾으려 애쓰고 싶지 않았다.

인생을 살면서 마주하게 되는 이상한 사람들과
나를 괴롭게 만드는 순간들을 더는 지키려고 하지 말자.
그곳에서 빠져나오고 관계를 끊어버리는 것은
내가 나약해서도 아니고, 내가 굴복한 것도 아니다.
악취 나는 것들을 굳이 온몸으로 껴안는 사람이 없듯
나를 아프게 하는 것을 더는 곁에 두지 않는 것뿐이다.

당신은 당신이 소중하다는 것을
아직 잘 모른다

이 사람은 정말 진심인 것 같아서 마음을 열었는데
실은 진심이 아니었다는 걸 알았을 때,
그때 우리의 마음은
무언가 '쿵' 내려앉은 것 같은 큰 충격을 받게 된다.
믿음에 배신을 당하는 순간, 우리의 기대가 무너지는 순간.

아마 당신도 적잖이 겪었을 것이다.
마음이 산산이 조각나는 그 순간을.
다시는 사람을 만나지 못할 것 같고
왜 나에게 이런 사람들만 찾아오는 건지
의문을 품은 채 방향을 틀어 자신을 탓하기도 해보고.

나는 정말 믿었던 사람에게
뒤통수를 크게 얻어맞은 적이 있다.
그런데 내가 더 억울했던 건
그 사람에게서 떠나지지 않는 것.
보통 사람들이라면 화를 내고

당장 인연을 끊자고 해도 모자랄 상황이었으나
'이번 한 번만 그냥 참을까?'라는 생각으로
멀리 달아나지도 못한 채 속으로 슬퍼했었다.

나를 아프게 하는 사람인데,
나를 괴롭게 만드는 관계인데
그거 하나 놓는 것이 뭐가 두렵다고
상처를 애써 가린 채 괜찮은 척 웃고만 있었는지….
그때 처음으로 내 자신이 초라해보였다.

아마 당신도 분명히 그런 적이 있었을 것이다.
당신에게 남긴 상처가 날카로운 데도
베이지 않은 척 그저 참고, 지금 이 사람을 떠나는 것보다
또다시 누군가를 믿는 게
더 어려울 것 같아서 그냥 참았던 적이.

관계의 끈이 끊어질 땐, 언제나 아프다.
한 사람과 쌓아온 시간과 마음이
더는 실존하지 않는다는 이유 하나만으로도
우리는 한참을 앓곤 하니까.

하지만 당신의 마음은 그다지 강하지 않다는 것.

영원히 괜찮은 척하며 살 수도 없고
당신을 자주 아프게 만드는 관계는
참는다고 괜찮아지는 관계가 아닐 확률이 높다는 것.
그 이유 하나만으로도
당신은 끈이 끊어지는 듯한 아픔을 견뎌야 한다.
당장 아픈 것은 사랑니를 뺄 때의 고통이라고 생각하자.
앞으로 더 심해질 고통을 미리 끊어버리는 것이라고.

관계 속에서 인내가 필요한 순간은 분명히 있지만
그게 아픔을 참고 견디는 일은 아니다.
당장은 아플지라도
당신을 괴롭게 만드는 관계는 먼 바다로 흘려보내자.

다시는 볼 수 없게
헤엄쳐 오지 못하게 멀리 던져버리자.
타인을 위해 희생하고, 참고, 혼자 울지 말자.
당신은 당신을 조금 더 생각할 이유가 있고
조금 더 쓰다듬어줄 필요가 있다.
아픈 관계가 있다면 당장 벗어던지길 바란다.

당신은 당신이 소중하다는 것을 아직 잘 모른다.

나를 알아가려는 노력

우리는 다른 사람을 알아가려는 노력에는 열을 내면서도
정작 나 자신은 지독히도 돌보지 않는다.

사람들이 어떤 옷을 즐겨 입고, 어떤 색을 가장 좋아하는지,
죽기 전에 꼭 먹고 싶은 음식이 무엇인지,
좋아하는 여행지가 어디인지는 궁금해하면서도
정작 그 질문을 자신에게 해보면 쉽게 대답하지 못한다.
나를 알아가는 공부를 해보지 않았기 때문이다.

사랑에서도 마찬가지다.
연인을 행복하게 만들어주기 위해서
어떤 방법이든 가리지 않고 마음 쓰는 것에 비해서
정작 자신의 마음에게는 안부조차 묻지 않는다.
마음 한구석에 흠집이 나지는 않았는지,
어딘가 외롭지는 않은지.
아무런 관심도 가지지 않는다.

우리는 돛을 펼치고 어딘가로 계속해서 나아간다.
하지만 적어도 내가 탄 배가
어떤 배인지는 알아야 하지 않을까.
나를 모른 채 삶을 살아가는 것은
목적지가 없는 의미 없는 항해일 뿐이다.

저마다의 파도를 헤치며 나아가고 있는 그대.
살면서 우리가 반드시 해내야 할 것은
나 자신을 조금이라도 알아가는 일이다.

타인에 대한 궁금증과 관심을 조금 돌려서
나에게 방향을 맞추어 살아가자.
세상을 살아가는 것은 결국 '나'고
삶이라는 항해에서 가장 중요한 것은
다른 그 누구도 아닌 바로 나 자신이니까.

못하는 것을 잘하려
애쓰지 마라

나는 고등학교 시절, 수학에 손을 놨다.
딱딱한 공식들과는 아무리 노력해도 친해지지 않았으나
좋아하는 시인의 시집을 읽는 일은
내게 잠에서 깨어나는 것만큼이나 자연스러운 일이었다.
그래서 문장에 대한 관심이 더 늘었고
수학보다는 국어를 더 좋아하게 되었다.

성인이 되고 우연히 글을 쓰는 직업을 가지게 되었으나
단 한 번도 수학을 못해서 손해 본 적은 없었다.
다만, 좋아하는 시집 몇 권을 읽었던 것으로
도움을 받았던 적은 여러 번 있었다.

우리는 좋아하는 것과 못하는 것이 분명한 사람이다.
누군가는 문장을 읽는 것에 행복을 느끼고
누군가는 어려운 수학 문제를 풀어낼 때의 희열을 사랑한다.
우리는 각자 조금 더 뛰어난 분야가 있다.
그 분야에서 내가 가진 능력을 보여주기만 하면 될텐데

가끔 모든 분야에서 잘하려고 하는 사람이 되기를 바라며
본인이 잘하는 것조차 보여주지 못하는 사람이 있다.

못하는 것이 있다고 해서
당신의 자존감을 깎아내릴 필요는 없다.
못하는 것이 있다고 해서
당신의 삶이 엉망이 되는 것도 아니다.
나는 비록 수학에 재능이 없지만
타인의 마음에 공감하고 내 생각을 표현하는 일은
그 누구보다 자신 있는 사람이다.

그러니 조금은 당당해지자.
누군가가 당신이 완벽하지 못하다며
당신이 못하는 것을 지적할 때
당신은 당신이 잘하는 것을 보여주면 될 것이다.

완벽한 사람은 없다는 것을.
완벽할 필요도 없다는 것을.

감정을 억눌러왔다면

한때는 감정을 꺼내는 일을 두려워했다.
아무 일도 일어나지 않는 상황에 놓이는 것이
행복이라고 생각했기 때문인 것 같다.
그래서 짜증이 나고 화가 나면 내 마음을 억눌렀다.
새어 나오지 않게 꽁꽁 싸매고
겉으로는 아무렇지 않은 척 행동했다.

하지만 그때의 나는 모르고 있었다.
그 감정이 언젠가는 결국 터져버린다는 것을.
마음을 잠그고 억누르려 할수록 감정의 크기는
더욱더 커져서 결국 더 큰 화를 불러온다는 것을.

마음을 감추는 일이 당장은 좋을 수 있다.
불안과 두려움에 맞서지 않아도 되니까.
하지만 계속해서 마음을 돌보지 않는다면
곧 우리의 마음은
정돈되지 않은 방처럼 어질러질 것이다.

내 마음은 그 누구도 대신 돌봐주지 않는다.

이 사실을 지금 알았다고 해도 괜찮다.

이제부터라도 감정을 적절히 드러내도록 연습하면 되니까.

마음속에 있는 것들을 조금씩 비워내자.

감정을 드러내는 일에 유난히 서툰 당신을 응원한다.

누군가의 삶에는 꼭 필요한 사람

그놈의 인기가 뭐라고 나를 꾸며내면서,
내 안에 없는 것들을 있는 것처럼 연극을 하면서까지
누군가의 호감을 얻으려고 애썼는지…
가끔 내 삶을 되돌아보면 안타까운 마음이 들 때가 있다.

어렸을 땐 늘 재밌는 사람이 되고 싶었다.
그럼 친구들이 나를 좋아해주니까.
나는 모든 사람에게 사랑 받고 싶었고
애정 어린 시선을 갈구했다.
해바라기처럼 한평생 타인을 의식하며 살았다.
정작 나 자신을 바라보지는 못한 채.

하지만 이제 더는 다수가 좋아하는
사람이 되려고 애쓰지 않으려 한다.
애정과 관심은 햇살과도 같은 것이어서
적당한 노출은 몸과 마음에 활력을 주지만
강렬한 햇살 아래에선 이따금 쓰라린 상처를 주기도 한다.

그만큼 내 곁을 떠나가는 사람도 많을 테니까.

관계에서도 나는 소수의 사람만 곁에 두고 살고 싶다.
비록 예전보다는 사랑을 덜 받을지라도
내 글을 좋아해주던 사람이 내 곁을 떠난다고 해도
내가 걷는 길을 바라봐주고 응원해주며
꿋꿋이 자리를 지켜주는 몇 사람만 있다면
그들에게 감사를 전하며 살고 싶다.
많은 사람에게 필요한 사람이 되지는 않을지라도
누군가의 삶에는 꼭 필요한 사람이 되고 싶다.

몇주 전부터 인스타그램의 팔로워가 쭉쭉 떨어지고 있다.
한때는 이 사실이 너무나 싫었고 자신감도 잃곤 했는데
이제는 홀가분하다.
잠시나마 내 곁을 들러준 사람들에게 감사를,
내가 해야 할 것은 내 곁에 남은 사람들에게 최선을 다하는 것.
그 누구를 탓할 것도 없다.

내 곁에서 작고 단단한 사랑을 주는 사람들에게
조금이라도 도움이 되는 사람으로 살고 싶다.

숫자로 치환되는 삶

우리가 사는 세상에는 많은 숫자가 존재한다.
태어날 때 몸무게가 또래 아이들보다 많으면
'우량아'라는 이름표를 붙여주고
엄마 친구 아들은 받아쓰기 100점을 맞았다더라
하는 이야기들로 한창 성장하는 아이들을 주눅 들게 만든다.

어려서부터 우리는 숫자를 통해
기쁨보다는 공포를 더 많이 느껴왔다.
점수로 나뉘는 차별적인 선생님의 대우나
엄마의 눈빛을 보며 높은 숫자를 얻는 것이
유리한 세상이라는 것을 깨닫곤 했다.

숫자는 잔인하다.
숫자로 나뉘는 1등과 200등의 차이는 너무나 크고,
1등은 1등을 뺏길까 두렵고,
2등은 1등이 되지 못해 아쉽고,
200등은 최하위라는 생각에 빠져 우울해진다.

지금 우리가 사는 세상에도 수많은 숫자가 존재한다.
아마 예전에 우리가 느꼈던 공포보다 더한 숫자들로
우리의 삶을 숨 막히게 만들고, 괴롭게 만든다.
인스타그램과 페이스북에는
많은 '좋아요'를 받은 사람들이 즐비하고
'좋아요'를 받기 위해 누가 먼저랄 것도 없이
자극적인 콘텐츠들을 올려댄다.
친한 친구는 1000개를 받는데
나는 50개 밖에 받지 못하면
내 삶이 딱 그만큼인가 싶어서
행복을 잃어버린 사람들이 있다.

하지만 우리의 행복은 좋아요 수로 결정되지 않는다.
많은 팔로워를 가져도 누구보다 외로운 사람일 수 있고
지인들이 아무리 많아도 정작 좋은 관계는 몇 없을 수 있다.
100만 원만 있으면 이 세상을 가진 것처럼
행복할 것 같았던 중학생 때의 나는
지금 더 많은 돈을 가지고 있으면서도
무언가 모자란 사람처럼 살고,
어제 쳤던 볼링에서 인생 최고의 점수를 얻었지만,
왠지 모르게 이제는 그 점수가 낮게만 느껴진다.

우리에게 중요한 건 많은 좋아요를 바라는 것,
많은 팔로워를 가지는 것이 아니라
누군가가 내 하루에 열광해주지 않아도
내 삶을 사랑하는 것,
숫자로 치환되는 관계를 쌓는 것보다
언제 만나도 어색하지 않은 친구 몇 명에게
더 따뜻이 대하는 것,
타인이 듣고 싶은 말보다
내가 하고 싶은 말을 하는 것일지도 모른다.

숫자로 뒤덮인 세상이지만 숫자에 잡아먹히는 않기를.
당신의 삶이 숫자로만 설명되지 않기를.
지금 나이가 몇이고, 직장은 몇 년 차고,
연봉은 얼마고, 경력은 몇 년인지가 아닌
바다를 좋아하고 영화를 사랑하며
파스타를 최고의 음식으로 생각하는 사람으로
누군가에게 기억될 수 있기를.

멋진 것들을 보며
자신을 하찮게 생각 말 것

멋지고 예쁜 사람들을 보면 오히려
자존감이 떨어진다는 사람이 있었다.
특히 SNS를 하다보면 원치 않게 다른 사람들을
보게 되는 경우가 굉장히 많다.
키가 크고 몸도 탄탄하고 얼굴도 잘생긴 사람들을 보면
나도 부러운 마음이 들 때가 있지만
자존감 하락으로까지 이어지지는 않는다.

그들처럼 멋진 모습은 아니어도
나는 내 모습으로도 충분히 만족스럽고
누군가에게 사랑받을 수 있는 사람이라는 것을
알고 있기 때문이다.

5성급 호텔 출신 셰프가 만든 파스타를 먹을 때,
'어떻게 이런 맛을 낼 수가 있는 거지?
왜 나는 이렇게 요리를 못하는 걸까?' 하며
나를 깎아내리지 않는 것처럼

멋진 사람을 볼 때 내 모습은 왜 이런지,
왜 그 사람처럼 생길 수 없는 건지 고민하며
자존감을 떨어뜨릴 필요가 없다는 말이다.

엄마가 해준 오징어볶음은
5성급 호텔 주방장이 만들어도
절대 엄마의 손맛을 따라올 수가 없고
사랑하는 사람이 만들어준 된장찌개는
간이 맞지 않아도 충분히 사랑스러운 맛을 가지고 있다.

나도 누군가에게는 사랑이, 또 자랑이 될 수 있을 텐데
우리는 왜 다른 사람을 보며 나를 부정하는 걸까.
멋지고 예쁜 것들을
행복의 기준으로 삼지 않았으면 좋겠다.

당신도 충분히 빛나는 사람이니까.

유별난 것이 비난당할 때

아무리 슬픈 영화를 봐도 눈물이 나오지 않았다.
간혹 사람들은 그런 나를 보며
'감정이 메마른 놈'이라고 말하곤 했다.

우리가 사는 세상에는 유별난 사람들이 참 많다.
술을 먹고 해장하는 방법만 해도 얼마나 제각각인지.
누구는 피자로 누구는 순댓국으로…
사람의 성향은 알 길이 없이 참 다양하다.

아는 사람 중에 유별난 것으로 고통 받는 사람이 있었다.
그는 레슬링이나 유도 그리고 태권도 등
과격하고 거친 운동을 무척이나 좋아했다.
그런데 주변에서 그런 운동을 한다는 이유로
성격이 되게 셀 것 같다거나
성질이 괴팍하고 독할 것 같다며
마음대로 판단하고 결정한다는 것이었다.

사람들은 왜 조금 특별한 취향을 가지고 있거나
보통 사람들과 다른 길을 가려고 하면
별나다고 판단하고 비난하는 걸까?
사람마다 성향은 다 다르고
꿈, 좋아하는 음식, 좋아하는 계절이
같을 수가 없는 것인데 왜 이해하지 못하는 걸까.

나는 그에게 말해주었다.
그런 사람들의 말을 신경 쓰지 않아도 된다고.
거친 운동을 좋아한다고 해서
당신이 괴팍해지는 것도 아니며 독한 사람도 아니니까
오히려 그렇게 말하는 사람들을
별나게 생각하기를 바란다고.
타인의 취향을 이해하지 못하고
어떻게든 깎아내리기를 좋아하는 사람들의 말이니
신경 쓰지 말고 걱정하지 말고 그대로 살면 된다고.
나는 슬픈 영화를 봐도 잘 울지 않으며
떡볶이에는 꼭 깨를 뿌려 먹어야 하는 취향이 있지만
누가 뭐라고 해도 그게 좋다고.

당신이 유별나다고 생각하지 않기를 바란다.
당신은 그냥 '당신답게' 살고 있는 것뿐이다.

타인은 내 삶에 관심이 없다

타인은 생각보다 내 삶에 관심이 없다.
그러니 내가 해야 할 일은 내 삶에 집중하는 것.
나 자신을 부끄러워하지 않는 것.
누군가가 인정해주지 않아도 행복할 수 있다는 것을
마음 깊숙이 깨닫는 것.

나를 사랑하는 것.

인정할 줄 아는 삶

우리는 어렸을 때부터 겸손은 미덕이라고 배워왔다.
벼는 익으면 익을수록 고개를 숙인다는 말처럼,
사회적으로 높은 자리에 오르거나 성공하게 되면
자신을 낮추고 남들을 신경 쓰며 살아야 한다고.

나는 한때 겸손의 반대말이 오만함이라고 생각했다.
누군가 나에게 칭찬을 하면 건방지게 보이지 않으려
이런 말들로 칭찬을 회피했다.

"아닙니다. 그저 운이 좋았던 것 같습니다."
"다 여러분들 덕분입니다."

내가 칭찬을 들을 수 있었던 건
운이 좋았기 때문만이 아니었고
사람들이 나를 열심히 도와줘서도 아니었는데 말이다.

연말 시상식의 수상소감에서도 비슷한 모습을 볼 수 있다.

많은 연예인들이 "제게 이런 과분한 상을 주셔서 감사합니다."
"이 상을 누구누구에게 돌리겠습니다."라고 말하며
자기에게 상이 과분하다고 말하고,
앞으로 열심히 하라고 상을 준 거라 생각한다.
그저 잘했다고 주는 '상'인데 말이다.

우리에게 필요한 것은 인정이 아닐까 싶다.
누군가 내게 칭찬을 하면 요리조리 피하는 게 아니라
내가 가진 능력과 성취했다는 사실에 자부심을 느끼고
"고맙습니다."라는 짧은 말로 칭찬을 받아들일 줄 아는 것.
많은 사람들은 오만한 사람이 되지 않으려고
겸손을 택하지만 겸손으로 인해 자존감이 낮아지고,
스스로 가치를 떨어뜨릴 수도 있다는 것을 모른다.

그러니 이제는 겸손한 사람이 되기 이전에
인정할 줄 아는 사람이 되자.
누군가가 잘했다고 칭찬을 해주면 피하지 말고 받아들이자.

감사를 표하는 것은 칭찬을 받아들인 뒤에 해도 충분하다.
"아닙니다. 모두 여러분들의 덕분입니다."가 아니라
"칭찬해주셔서 감사합니다. 여러분의 도움이 있었기에
더 수월했던 것 같습니다."처럼.

사람은 누구나 다른 길을 걷는다

우연히 SNS를 통해서 고등학교 친구의 근황을 물었다.
아주 친했던 친구는 아니었고 인사만 나누던 친구였는데
해외에 나가서 이런저런 일을 하며
다양한 경험을 쌓고 있었다.
그런데 다른 사람들이 자신의 삶을 보면서
시간 낭비라고 생각하는 것 같아서 속상하다며
'나는 즐겁고 행복한데 괜찮은 걸까'하는 생각이 든다고 했다.

사람들은 삶을 마음껏 펼치겠다 말하지만
대부분은 사회가 암묵적으로
정해준 틀 안에서만 움직이고 있다.
그래서 종종 그 길을 벗어나 다른 길을 걷는 사람을 보면
'음, 저러면 안 될 텐데….'라고 생각하곤 한다.

실제로 상당수의 사람들은 누군가 이미 걸어간 길을 뒤따라간다.
운전면허를 갓 따고 초행길에 들어서면 손에 땀이 나고
내비게이션을 보고도 길을 못 찾는 것처럼

왠지 모르게 익숙한 길을 가려고 하는 것이다.
길이 끊어지지 않았다는 것도 알 수 있고
다른 차들도 많이 다니는 것이 보이니까
'그래! 이 길이 안전한 길이구나.' 하며
비로소 마음의 안정을 찾는 거다.

누구나 걷는 길은 익숙하고 안전하지만
그대신 사람이 넘쳐나기 때문에
무언가를 이뤄내기가 쉽지 않다.
여행을 가서 누구나 다 알 법한 음식점에 가면
식사하기 위해 한두 시간은 기다려야 하는 것처럼.
하지만 그렇게 알려진 길을 걷는 것이 잘못된 걸까?

이 세상에는 나만 아는 무언가를 좋아하는 사람들이 있다.
나만 알고 있는 가수의 음악이라든지.
사람들은 잘 모르는 숨겨진 맛집이라든지.
많은 이들이 선택하는 것이 아니라
조금 덜 유명하고, 아직 빛을 보지 못한 것들.
뻔하고 많이 알려진 것이 아니라
조금은 색다르고 다양한 경험을 할 수 있는 것들.
알려진 길을 걷는 것보다
자신이 새로운 길을 개척하고 싶어 하는 사람들.

그렇다고 이 사람들이 이상한 것일까?

더 나은 삶은 없다.
유명한 음식점에서 한두 시간을 기다리는 것이
누군가에게는 이해되지 않는 행동일 수 있다.
그렇게 기다리면서까지 먹는 이유가 뭐냐고.

하지만 우리는 손가락질할 수 없다.
그 사람이 몇 시간 아니, 하루를 온전히
음식점 앞에서 기다리는 일에 쓴다고 하더라도
우리는 뭐라고 할 자격이 없다는 말이다.
그건 단지 그 사람이 추구하는 가치가
맛이 보장된 유명한 음식점에 있는 것일 뿐.
내가 추구하는 가치와 다르다고 해서,
나는 숨겨진 맛집을 다니는 것을 좋아한다고 해서
다른 가치를 가진 사람을 나무랄 수는 없다.

친구가 워킹홀리데이에 가서 보내는 시간을 보며
누군가는 정말 시간 낭비다, 아깝다고 생각할 수 있다.
남들은 취업 준비를 하기 위해 온종일 노력하는데
해외에서 1~2년 고생하면서 얻는 것이 뭐냐고.
스펙을 쌓기에도 바쁜 시간을

왜 안정적인 직장을 가질 수 있는 귀한 시간을
버려가면서까지 가려고 하느냐고.
좋지 않은 시선으로 바라볼 수도 있다.
하지만 그건 온전히 그 사람이 선택한 가치라는 것.
조금 다른 길을 걷는다고 해서,
아무도 걷지 않았던 길을 걷는다고 해서
그 사람을 붙잡고 가지 못하게 할 수는 없다는 것을.

더 나은 삶은 없다.
상대적으로 더 나은 가치도 없다.
내가 중요하게 생각하는 인생의 가치가
누군가에게는 볼품없는 가치일 수도 있으며
내가 추구하지 않는 삶의 목표가
누군가에게는 인생 제일의 목표일 수 있다.

우리는 저마다의 가치를 위해 살아가고
또 치열하게 한 걸음, 한 걸음 걷고 있다는 사실을
잊지 말아야 한다.
그러니 부디 다른 이의 삶을 마음대로 재단하지 않기를.

내가 아닌 삶

권태로운 삶인 것만 같고
공허한 하루를 사는 것 같다면
가끔은 내가 아닌 것으로 살 필요가 있다.

평생 해본 적도 없고 할 생각도 없었던 것들.
아무도 없는 길을 냅다 달려보기도 하고
호기롭게 산 정상까지 걸음을 옮기기도 하면서
막연히 꿈꾸고 호기심으로만 상상했던 일들,
평소의 나라면 절대 해보지 않았을 것들을
눈 한 번 딱 감고 저지르는 것.

전혀 의외의 곳에 행복이 숨겨져 있기도 하니까.

되고 싶은 것이 없다니

되고 싶은 것이 없다는 건 잘못이 아니다.
주변에서 흔히 꿈이 없어 힘들어하는 친구를 볼 수 있는데
나도 비슷한 경험을 한 적이 있다.

학교에 다닐 때 장래희망을 적어내라는 종이를 받고서
도대체 어떤 꿈을 적어내려야 할지 한참을 고민한 적이 있다.
고민한다고 해서 없던 꿈이 생기는 것도 아닌데
그만큼 막막한 기분이었던 것 같다.
주변의 친구들은 각자
나는 어떤 사람이 될 거야, 라고 말하는데
그 속에서 나만 길을 잃어버린 것 같은 느낌.

하지만 꿈이 없던 그 시기를 후회하지 않는다.
지나고 나서 보니 그런 순간이 있었기에
오히려 더 영양가 있는 꿈을 품을 수 있었던 것 같다.

그러니 되고 싶은 것이 없다고

너무 초조해하지 않았으면 좋겠다.
확실히 꿈이 있거나 목표가 있으면
하루하루 동기부여가 되고
열심히 살아야 할 이유가 생기겠지만
꿈이 없다는 사실에 쫓겨 어설픈 꿈을 꿀 필요는 없다.
꿈이 없다고 해도 우린 많은 것을 할 수 있으니까.

꿈을 찾기 위해 삶이라는 길 위를 이탈하는 일이 없도록
조급한 마음을 버리자.
차근차근 내가 하고 싶은 것을 찾다 보면
꿈의 윤곽이 보일테니.

모든 사람이 나를 좋아하는 건
불가능하다

예전에는 나를 깎아내리는 말들에 감정적으로 동요했으나
모든 사람이 나를 좋아하는 건 불가능하다는 진리를 깨닫고는
오히려 먼저 나서서 그 말들을 모은다.
그들이 흘린 말을 보면
내가 보완해야 할 것들을 알 수 있으니까.
오히려 그들에게 감사를 전하고 싶다.

"열심히 험담해주셔서 고맙습니다.
덕분에 저는 더 나은 사람이 되어가고 있어요."

타인의 삶을 들여다보는 것

나는 SNS를 시작하게 되면서 많은 사람을 만났다.
처음에는 그저 신기했다.
나와는 전혀 다른 삶을 보는 것이.
하지만 점점 그들의 삶을 구경하며 대리만족했고
점점 더 많은 사람을 보느라 시간을 소비했다.

내가 보는 그들의 삶은 완벽했다.
예쁘게 정리된 피드처럼
무엇 하나 부족하지 않은 그들의 삶은
나를 우울감으로 끌어당기기에 충분했고
내가 가진 것들이 초라하게 느껴졌다.

불과 5년 전만 해도 우리는 정보화 시대에 살고 있다고 했다.
인터넷만 켜면 수많은 정보가 쏟아져 나오고
인터넷으로 할 수 없는 것은 없다며
미디어에서 떠들곤 했었다.

하지만 지금은 그때보다 더 많은 것들을 할 수 있다.
정보화 시대가 아니라 정보 포화 시대에 더 가까울 정도로
우리가 굳이 알 필요가 없는 것들까지도
너무나 잘 알 수 있게 되었다.

타인의 삶을 들여다보는 것은 나를 우울하게 만들 수 있다.
그들의 삶과 나의 삶을 비교하기 시작하는 것은
다시 붙잡고 올라올 줄도 없이 추락하는 일과 같다.
누구나 정신적으로든, 물질적으로든 부족한 부분이 있고
나에게 없는 것을 가지고 있는 사람들은
이 세상에 넘쳐나니까.

타인의 삶은 그냥 구경 정도로 끝내기를 바란다.
나보다 더 행복해 보이는 그들일지라도
그들에게 없는 행복이 나에게는 분명히 있을 테니까.

자신의 삶에서 가장 빛나는 순간들로 채운
그들의 SNS를 들여다보면서 굳이 불행을 만들지 말자.
다른 사람의 삶을 들여다보면서 잠시 잊었을 뿐,
당신이 가진 것들도 충분히 빛나고 있다.

저마다의 이름으로

우리는 저마다의 이름을 가지고 살아간다.
태어나기 전부터 정해지는 이름이기에
내가 정할 수 없다는 사실이 조금은 억울하기도 했다.

한때는 내가 가진 이름이 마음에 들지 않았다.
더 멋진 이름도 많은데
나는 왜 이렇게 평범한 이름을 가지고 있는 걸까.
다른 이름을 가져보려고도 했다.
그래서 누군가가 이름을 물어보면
왠지 모르게 쑥스러운 마음이 들었다.
내 이름을 말하는 게 부끄러웠고
어울리지 않는다고 생각하면 어쩌나 걱정하곤 했다.
촌스럽지는 않을까, 혼자 고민하기도 하고.

그런데 지금은 생각이 바뀌었다.
내가 혹여 다른 이름을 가지고 태어났어도
이 세상에는 더 멋진 이름들이 있고

나는 끊임없이 욕심을 부렸을 테니까,
내 이름에 가만히 만족하는 일은 없었을 것이다.

이름은 태어나서 처음으로 받은 선물이다.
누군가는 그 선물이 마음에 들지 않을지도 모르지만
나와 평생 같이 살아가는 이름인데
하찮게 여기는 것보다는
자랑스럽게 생각하는 편이 더 낫다.

혹여 나중에 내가 늙고
사랑하는 사람들이 내 곁을 모두 떠났을 때,
그들의 마음이 내 이름에 남아있으니
조금의 위안이 되지 않을까.

나는 지금의 내 이름이 좋다.
소중한 마음이 담긴 이 선물이 좋다.

관계의 속도

사회생활을 막 시작했을 무렵
나는 새롭게 만나게 되는 사람들 한 명 한 명을
잃고 싶지 않은 마음에 애를 썼다.

약속 시간을 정할 때면
내가 편한 시간이 아니라
상대방이 되는 때에 맞췄고
약속 장소 또한
지하철로 한 시간이 넘게 걸리는 곳이라고 해도
상대방이 편한 곳에서 만나곤 했다.

그런데 참 웃긴 것은 그럼에도 불구하고
내 곁에 남은 관계는 별로 없다는 것이다.
상대방이 걷는 속도에 맞추려고
발이 아파도 빠르게 걸었고
때로는 지루해 미칠 것 같아도 느리게 걸었는데

지금 내가 서 있는 이 길에는 나 혼자라는 사실.

그래서 이제는 상대방의 속도에 억지로 맞추려고 하지 않는다.
상대방이 빠르다 싶으면 조금 느리게 걸어줄 수 있냐고 묻고
서로의 속도를 인정하며 적절한 속도를 맞춘다.
같은 속도로 맞춰 걸으라고 강요하는 사람이 있다면
내가 애써야만 유지되는 관계임을 깨닫고
당장 마음이 쓰리더라도 관계를 정리한다.
그런 이들은 나를 위해
자신을 바꿀 마음이 없는 거니까.

그러니 관계를 유지하기 위해
타인을 너무 신경 쓰지 말고, 너무 배려하지 말고
내가 편한 것도 생각할 줄도 알면서
언제나 착할 필요는 없다는 걸 기억하자.

누군가의 걸음걸이에 당신이 맞춰 걸을 필요는 없고
멀찍이 걸어도 편한 관계도 있다는 것을
당신도 알았으면 좋겠다.

꿈이 뭐야

「네가 가진 꿈은 뭐야? 그럴듯한 거 말고 그냥 네가 하고 싶은 거. 꿈이 꼭 멋져야 할 필요는 없잖아. 남들이 인정해주지 않아도 괜찮아. 누군가의 욕심으로 억지로 꾸게 된 꿈 말고 가만히 떠올리기만 해도 웃음이 나는 그런 거. 그게 꿈이거든. 요즘 사람들은 멋있는 꿈만 꾸려고 하는 거 같아. 많은 돈을 버는 거 물론 그거 좋지. 명예를 얻는 거 그것도 꿈꿀 만해. 근데 그게 정말 네가 원하는 꿈인지 생각해봤니? 네가 감당할 수 있는 꿈을 꾸고 있니? 남들 따라서 괜찮아 보이는 꿈을 꾸지 않았으면 좋겠다. 꿈은 쫓기듯 정하는 게 아니야. 없다고 해서 문제가 되지도 않지. 그러니 신중히 생각해봐. 너 자신에게 진지한 물음을 던져봐. 깊이 생각하지도 않고 꿈을 꾸는 게 왜 문제냐면 정말로 네가 원하는 꿈이 생겼을 때 '가짜 꿈' 때문에 그 꿈을 이루지 못하게 될 수도 있어. 그러니 '진짜 꿈'을 찾길 바라. 그게 언제가 되던 응원하고 있을게. 늦어도 괜찮으니 조급해하지 마. 부디!」

개인으로서 살아간다는 것

얼마 전에 〈알쓸신잡〉이라는 TV 프로그램에서
개인주의에 대해 이야기를 나누는 장면을 보았다.
우리나라는 개인주의가 너무 약하다는 얘기였는데
개인적으로 깊은 공감이 되었다.

나는 어려서부터 지금까지 수많은 공동체를 겪어왔는데
그중에서 자의로 들어간 경우는 거의 없었다.
사회에서 그리고 주변의 강요로
억지로 속해 있던 것이 대부분이었다.

나는 단체 생활을 썩 좋아하지 않는다.
그 안에 있으면 행동이 제한되고
하고 싶지 않은 일을 해야 하고
억지로 웃어야 할 때가 많기 때문에
차라리 개인의 진영에 서 있는 것이
훨씬 자유롭고 좋았다.
모든 것을 내가 선택할 수 있고

그에 대한 책임도 내가 지면 되는 거니까.

하지만 세상은 개인에게
공동체에 속할 것을 강요하고,
개인으로서 존재하는 사람들을
존중하지 않는 경향이 있다.

식당에서 혼자 밥을 먹는 사람을 보면
왕따라고 생각하는 사람들 때문에
숨어서 밥을 먹곤 하는 사람들이 있고
김영하 작가가 말한 것처럼 혼자라는 이유로
자리 좀 비켜달라고 말하는 다수의 공동체 사람들 때문에
개인으로서 이 사회를 살아가는 것이 점점 더 힘들어진다.

얼마 전부터 '혼밥', '혼영' 등 많은 활동 앞에
혼자라는 뜻의 줄임말인 '혼'을 붙이는 게 유행이 되었는데
그것들을 보면서 나는 얼마나 많은 사람이
원치 않는 공동체 속에서 힘들었을까 생각하곤 했다.

혼자일 때가 나를 가장 잘 알 수 있는 시기라고 생각한다.
내가 정말 좋아하는 것이 무엇인지, 내가 가진 성격은 어떤지.
하고 싶은 것을 스스로 선택하고 걸어갈 길을 스스로 정하는 것.

공동체 안에서의 내 모습이 아닌
혼자일 때 보이는 성격과 마음가짐이
진짜 성격이고 진실한 마음인 것처럼
가끔은 공동체에서 나와서 '혼자'로 살아가는 것이
진정한 나의 모습을 알 수 있는 하나의 방법이 아닐까.

나를 포함한 사람들이 이제는 혼자가 되는 걸
너무 두려워하지 않았으면 좋겠다.
'혼밥', '혼영'이 대단하고 유별난 게 아니라
자연스러운 것으로 생각했으면 좋겠다.
쉽게 바뀌지 않겠지만
한 사람 한 사람의 시선이 변화하기 시작한다면
언젠가는 개인을 존중하는 사회가 오지 않을까 생각해본다.

그때까지 열심히 혼자가 되어 살아가는 것을 연습하려고 한다.
아직은 타인의 시선이 따갑게 느껴질 때가 많지만
그 시선을 견디는 일이 공동체 속에서 억지로 견디는 것보다
백배, 천배 더 나은 일이라는 것을 알기 때문에.

그래서 나는 더 나답게 살 수 있는
'혼자'의 삶이 훨씬 더 좋다.

나를 알아가려는 연습이 필요하다

요즘 사람들은 눈치를 너무 많이 보는 것 같다.
친한 친구와 백화점으로 옷을 사러 갔을 때였다.
친구는 지인의 파티에 가는데 마땅히 입을 옷이 없다며
어떤 옷을 사면 좋을지 추천을 해달라고 했다.

그런데 거울 앞에 서서 내게 하는 말이
"이 옷 소재도 좋고 디자인도 마음에 들어!"
같은 말이 아니라
"이거 입으면 사람들이 이상하다고 생각할까?"
같은 말이었다.

두 문장은 비슷하면서도 완전히 다른데
첫 번째 말은 자신의 마음에 드는 것을 먼저 생각한 경우고
두 번째 말은 타인의 마음에 드는 것을 먼저 생각한 경우다.

왜 우리는 옷을 사면서도 누군가의 눈치를 보는 걸까?
소재가 부드럽고, 디자인이 예쁘다는 이유로

옷을 고르는 게 아니라
어째서 사람들이 예쁘다고 생각할 옷을 고르고
누군가가 부러워할 걸 기대하며 사는 것일까?

그 이유는 경계가 모호해진 세상 때문일지도 모르겠다.
SNS, 인터넷을 통해 타인을 너무나 쉽게 알아갈 수 있는 요즘,
나도 누군가에게 쉽게 발견되고 또 평가될 것을 알기에
내가 좋은 것들을 우선으로 생각하기보다
타인의 눈치를 먼저 살피게 되는 거다.
이렇게 눈치 보는 생활이 길어질수록
우리는 나를 위해 살아가는 것이 아니라
남을 위해 나를 꾸미고 살아가게 된다.
한 번뿐인 나의 삶, 온전히 누리지도 못한 채
내가 가진 취향을 외면하는 건 너무 아깝지 않은가.

우리가 정말로 해야 할 것은
타인의 눈치를 보는 것이 아니라
내가 어떤 사람인지 제대로 아는 연습일 것이다.
타인이 정해준 가치를 따라 그렇게 나를 꾸며가는 것이 아니라
내가 가치 있다고 생각하는 것들을 믿고
삶의 주인인 나를 조금 더 자세히 알기 위해 노력하는 것.

정말로 가치 있는 옷은
타인이 예쁘다고 말해준 옷이 아니라
내가 예쁘다고 생각하는 옷이고
정말로 가치 있는 순간은
타인이 인정해준 순간이 아니라
내가 정말로 감격한 순간인 것처럼 말이다.

부디 자존감을 도둑맞지 않기를 바란다.
'나'를 우선으로 생각하는 시간이 많아지고
결국, 내가 행복한 삶이 되기를.

당신의 마음에 조금 더 귀를 기울여야 한다.

틈이 없는 사람은 없다

나는 콜포비아 Call phobia 를 가지고 있다.
콜포비아란 전화와 공포증의 합성어로
전화통화를 기피하는 현상을 말하는데
언젠가부터 누군가와 전화하는 것이 어려워졌다.
어렸을 때는 전혀 두렵지 않았는데
핸드폰이 보급화 되고 손가락 하나만 누르면
대화나 검색, 의사소통이 모두 해결돼서
전화를 뜸하게 하다 보니 그런 것 같다.

날카롭고 뾰족한 것을 무서워하는 선단 공포증,
비교적 많은 사람이 가지고 있는 고소 공포증…
포비아를 가지고 있는 수많은 사람들이
주변의 시선을 의식해서 무섭지 않은 척 살고
타인에게 불편을 주지 않으려 괴로움을 참는다.

사람은 누구나 약점을 가지고 있다.
하지만 숨기면 숨길수록 그 크기는 거대해지고

되돌릴 수 없을 만큼 영향력이 커져서
더 큰 독이 되어 내게 돌아온다.

살아간다는 것은 어쩌면 이런 약점들을
하나씩 드러내는 일이 아닐까 한다.
애써 건강하고 단단한 사람인 척 사는 것이 아니라
틈이 있는 사람임을 인정하고 나답게 살아가는 것처럼.

우리는 스스로에게 자주 물어봐야 한다.
어떤 약점을 가지고 있는지,
그 약점을 왜 숨기고 있는지.
숨어 지내고 있는 나의 한 부분까지
사랑으로 품어주고 안아주자.

약점이 없는 사람은 없으나
약점이 있어도 행복할 수는 있다.

내 마음에 꽃으로 피는 말

우리는 누군가 내게 험담을 하거나,
안 좋은 소리를 내뱉는 것은 지독히 싫어하면서도
정작 내가 나를 향해 쓴소리를 내뱉는 것에는
너무나 관대하다.

"너는 못났어."
"너는 무능력해."
"네가 할 줄 아는 게 뭐니?"

우리는 타인에게는 이런 말들을
절대 하지 않으면서도
스스로에게는 너무나 쉽게 뱉곤 한다.
내가 나를 꾸짖는 것은
그다지 독이 되지 않을 거라 착각하면서 말이다.

가끔은 나라는 존재를
마치 다른 사람인 것처럼 대할 필요가 있다.

문득 내가 미워질 때, 나의 모습이 마음에 들지 않을 때.
습관처럼 나에게 쓴 소리를 내뱉고 싶어질 때.
비난의 대상이 내가 아닌 타인이라고 생각하는 것이다.
나와 같은 상황을 겪고 있는 누군가가 있다면
우리는 그 사람에게 독한 말을 내뱉을 수 있을까?

"너는 왜 이렇게 못난 사람이니?"
"넌 정말 쓸모없는 존재야."라고
감히 말할 수 있을까.

한창 모든 게 힘들어 주눅 들어 있는
과거의 '나'를 지금 마주한다면
그 아이에게 우리는 어떤 말을 전하게 될까.
분명한 건 쓴소리는 아닐 것이다.

사람은 부정적인 말을 듣게 되면
처음에는 아무렇지 않을지라도
점점 부정적인 사람이 되어간다고 한다.
내가 나에게 못났다고 말하게 되면
정말로 못난 사람이 되어 살아가게 되고
또 그런 사람이라 확신하게 되는 것이다.

그러니 나 자신을 대할 때도
타인을 대하는 것처럼 해보자.
부정적인 말들을 내뱉기보다는

"넌 지금도 소중해."
"넌 못나지 않았어."

밝은 말들을 들려줄 수 있는 사람이 될 수 있게.

나에게 어떤 말을 하느냐에 따라서
내 마음에 꽃이 피어날 수도 있고,
혹은 쓰레기가 되어 썩게 될 수도 있다는 것.

그러니 도움 되지 않는 말이 아닌
꽃이 될 말들을 내뱉는 사람이 되기를.
다른 사람이 아무리 나를 꺾으려 할지라도
내가 나를 꺾는 일은 없어야 한다.

타인을 위로하듯 나를 위로한다

인생에서 힘든 시간을 견디는 것은 어려운 일이다.
힘든 일을 피해갈 방법을 알 도리도 없으며
안다고 해도 마주할 수밖에 없는 상황이 오기도 한다.

삶이 힘들 때 내가 습관처럼 하는 행동이 있다.
바로 나처럼 힘들어하는 사람을 위로하는 것.
나와 같은 상황을 겪고 있는 사람에게 위로를 건넨다.

그 사람에게 어떤 말을 해주면 힘이 될까, 고민을 하다 보면
도리어 그 말에 내가 위로를 받곤 한다.
타인을 위로하기 위해 고민 끝에 내뱉은 말들이
내 마음을 어루만져주는 것이다.

사람들은 자기 자신을 위로하는 방법을 잘 알지 못한다.
타인에게는 적잖이 따뜻한 말들을 전하면서도
나 자신을 위로하는 방법을 몰라서 혼자 속을 썩힌다.

도무지 위로를 찾을 수 없을 때,
나 자신을 토닥여주고 싶은데 방법이 없을 때
이 방법을 활용해봤으면 좋겠다.

타인에게 내뱉은 위로의 말들을
다시금 주워 나에게 들려주면
기분이 한결 나아질 것이다.

너무 많은 질투는 독이다

나는 '질투'가 사랑에서만 쓰이는 단어인 줄 알았다.
사랑하는 사람이 내가 아닌 다른 사람과
유독 깊은 마음을 나누거나
자기에게만 주던 관심을 타인에게 베풀 때
그 사람을 경쟁자라고 생각하며 분노하는 모습을
질투라고 생각했다.

하지만 성인이 되고 사회생활을 하다 보니 느낀 것은
우리의 삶의 질투는 사랑이 아닌 곳에서
더 빈번하게 나타난다는 것이었다.

타인을 부러워하는 마음에서 시작되는 것이 질투인 만큼
나보다 조금 더 여유로운 삶을 사는 친구를 보며
'친구만큼 여유롭지는 않지만
난 지금의 내 삶에 만족해.'가 아닌
'내 삶은 너무 초라한데 쟤는 참 여유롭네.
잘난 척하는 것도 아니고.'라며 빈정대는 것처럼,

책을 읽거나 영화를 보면

질투가 많은 사람이 꼭 등장하곤 했다.

그들은 보통 우리가 생각하는 악역에 가깝게 표현되었는데

다른 사람을 시기하고

자신보다 잘나가는 것을 아니꼽게 바라보며

때로는 끌어내리기 위해 수단을 가리지 않는

추한 모습으로 나타나곤 했다.

대부분 이야기의 끝에서는 다치거나, 죽는 등

질투에 눈이 멀어 스스로 침몰하는데

어쩌면 질투가 우리의 삶에

그다지 도움 되지 않는 감정이라는 것을

말해주려는 연출자의 의도가 아니었을까 생각했다.

사랑에서도 질투는 심하면 심할수록 독이 된다.

누군가를 사랑한다고 해서 그 사람을 내가 독점할 수 없고

다른 사람과 어울리는 것을 억지로 막을 수 없는데

질투에 눈이 먼 사람들은

사랑하는 사람을 소유하려고 하고

자신의 손에서 빠져나가지 못하게 억압하곤 한다.

질투는 늘 더 많은 것을 갖기 위해 우리를 갉아먹는다.

현재에 만족하지 못하게 하고, 나를 더 비참하게 만든다.

나보다 잘나가는 친구가 있거나,

동시에 시작했는데 더 좋은 결과를 얻은 경쟁자가 있다면

우리가 해야 할 것은 질투가 아니라

그저 내 삶에 조금 더 집중하고 노력하는 일이 아닐까 싶다.

질투를 통해서 얻을 수 있는 것은 아무것도 없으니까.

그 시간에 부족한 것들을 채우려고 노력하며

더 나은 내가 될 수 있도록

하루를 영양가 있게 보내는 것이 더 중요한 거다.

그러니 너무 많은 질투로 시간을 낭비하지 않았으면 좋겠다.

사랑에 있어서, 삶에 있어서

질투가 우리의 삶에 도움을 주는 건 아니니까.

타인의 말에 휘둘리지 않기

삶이 잘 풀리지 않아 답답할 때,
습관처럼 사주나 타로카드,
점쟁이를 찾는 사람이 있다.
나는 태어나서 단 한 번도 다른 누군가에게
내 삶이 어떻게 흘러가게 될지,
어려움을 어떻게 이겨내야 할지,
지금 사랑하고 있는 사람을 계속 사랑해도 될지
혹은 지금 사랑에 문제는 없는지 물어본 적이 없다.

누구도 내 삶에 대해서 알 수 없다는 걸 알기에
타로나 사주를 통해 삶의 위안을 얻거나
삶의 방향을 수정하지 않는다.

"음, 둘 사이에 갈등이 있죠? 아마 지금 한 쪽은
서운한 감정을 느끼고 있을 거예요."

타로를 보고 온 친구의 말을 들어봤을 때,

그들이 해준 말들이
누구나 할 수 있는 애매모호한 말뿐인 걸 알고는
차라리 내가 점쳐주겠다고 했다.

심리학에는 '바넘 효과'라는 것이 있다.
대학생들을 대상으로 진행한 성격 검사에서
모두에게 똑같은 결과지를 전해주고서
자신의 성격과 얼마나 일치하는지 물었는데
80% 이상이 자신의 성격과 일치한다고 대답했다고 한다.

삶이 불확실해질수록 사람은 명확한 답을 알고 싶어 한다.
어디로 가야 할지, 어떤 태도를 취해야 할지.
스스로 아무리 고민해봐도 답이 나오지 않으니,
그런 애매모호한 말들에 기대서 위안을 얻는 것이다.
하지만 그들의 말은 얼핏 들으면
'어떻게 나를 이렇게 잘 알지?' 싶으면서도
정신 차리고 다시 들어보면 누구에게나 들어맞을 이야기다.
"당신은 종종 두려움에 휩싸여 있군요.
미래에 대한 확신이 조금은 부족해 보여요.
너무 많은 고민으로 하루를 보내지 말아요."
같은 말들이니까.

누구도 나보다 내 삶을 자세히 알 수는 없다는 것.
이 사실을 분명히 했으면 좋겠다.
타인의 말을 빌려 내 삶의 위안을 얻는 것,
그것을 나무라는 것은 아니지만
타인의 말을 확신하지는 말자는 거다.

우리가 믿어야 할 것은 그저 나 자신이니까.
답을 찾고 싶을 때면
타인이 아닌 나에게 묻기로 하자.
내 삶의 방향은 내가 정해야 한다.
그게 바로 정답이니까.

관계 때문에 아픈 것은
네 탓이 아니다

사람 때문에 비틀대고
늦은 밤 베개를 끌어안으며
우는 일은 당신의 잘못이 아닐 것이다.

사람들이 간과하는 것이 있다.
이 세상에 널린 게 관계라는 사실과
나를 행복하게 만드는 관계는 손에 꼽기도 어렵다는 것.
가족 사이에서도 관계는 있고,
친구 사이에서도 수많은 관계가 있다.
직장, 헬스장, 요리학원에서도 관계가 있다.

관계로 가득 찬 세상을 살아내는 것은
우리를 나약할 수밖에 없게 만든다.
한 사람과의 마찰에서 오는 스트레스로도
하룻밤을 어지럽히는데,
수많은 관계에서 조금씩 쌓인 걸 합하면 오죽할까.

그러니 우리는 관계를 조금씩 정리하면서 살아야 한다.
너무 많은 관계는 독이 될 테니까.
나를 지나치게 우울하게 만드는 관계가 있다면,
누군가를 만나는데 자꾸 무언가를 잃게 된다면
단호하게 놓아버릴 필요도 있다고
당신에게 말해주고 싶다.

"아픈 관계를 굳이 참아낼 필요 없어."

지나친 자기 검열을 멈출 것

사람을 대할 때 어떤 말을 해야 할지
속으로 수십 번씩 고민하고
타인의 기분을 살피는 사람들이 있다.

그들은 생각 없이 말을 내뱉지 않으며
타인에게 상처가 될 말은 피하고
행동 하나하나 신경 쓰고 움직인다.
그래서 인간관계에서 해를 끼치지는 않는다.
하지만 자기 검열이 지나친 사람들은
마음을 깎아내리면서까지
타인을 향한 지나친 희생을 한다.

나 또한 지금껏 무수히 많은 자기 검열을 거쳤다.
상처를 주지 않기 위해 그리고 상처를 받지 않기 위해
늘 안절부절못하고 연약한 마음으로 사람들을 대했다.
뜨거운 사람도 차가운 사람도 아닌
적당히 미지근한 사람이 되기 위해.

나 스스로 조금이라도 뜨거워지면 식히려 애를 썼고
얼어붙으려고 하는 날에는 열심히 나를 녹이기 바빴다.

하지만 우리는 왜 뜨거운 사람,
또는 차가운 사람이 되지 않으려 애를 쓰는 걸까?
왜 스스로를 조이며 숨 막히게 만드는 걸까?

이제는 인정할 필요가 있다.
뜨거워지고 또 차가워지기도 하는 게 자연스럽다는 걸.
그러니 이제는 강박을 내려놓자.
하고 싶은 말이 있으면 후회 없이 전하고
표현하고 싶은 감정들은 미루지 않고 표현하면서
지나친 자기검열로 나를 괴롭게 했던
그 수많은 괴로움을 벗을 때가 왔다.

마음을 먼저 채운다

인생은 좋은 것들을 곁에 두고 사는 일보다
마음을 채우는 것이 목표가 되어야 하는지도 모른다.

마음이 허한 사람, 모든 것에 만족하지 못하며
더 좋은 것 더 멋진 것에 갈증을 느끼는 사람이
과연 행복한 삶을 살 수 있을까.

아니, 어쩌면 물질적인 것에서 행복을 기대하기 때문에
더 좋은 것을 손에 쥐게 되더라도
단 한 번도 온전한 행복을 느끼지 못하고
비극적인 삶으로 끝날 가능성이 크다.

영화 〈죽은 시인의 사회〉에서 이런 대사가 나온다.
「의학, 법률, 경제, 기술 따위는 삶을 유지하는데 필요하지만,
시와 미, 사랑, 낭만은 삶의 목적이다.」

우리는 종종 삶의 목적에 욕심을 채워 넣곤 한다.

하지만 그건 허황된 것임을 깨달았으면 좋겠다.
우리는 물질적인 것, 그저 화려한 삶이 아닌
어떠한 내가 되어갈지 어떤 꽃을 피워낼지
마음 깊이 고민해야만 한다.
그럼 겉으로는 부족한 내 삶일지라도
자연스레 사랑할 수 있는 마음이 생기니까.

좋은 것들을 바라기 이전에
나 자신, 내 마음이 튼튼한지 생각해볼 필요가 있다.

내면을 가꾸는 몇 가지 방법

언제부턴가 멋진 옷과 비싼 가방에 관한 관심이 사라졌다.
남들이 가지고 싶어 하고 부러워하는 것들을
막상 내 손에 넣었을 때
그다지 행복하다고 느끼지 못했기 때문이다.
그저 남들이 부러워하는 시선만 느꼈을 뿐
내 안에서 차오르는 기쁨 같은 것들은 하나도 없었다.

거리의 사람들은 너무나 좋은 옷들을 입고 다닌다.
한두 달 아르바이트를 해야만
겨우 살 수 있는 것들을 걸치고 다니며
어린 학생들도 값비싼 것들로 자신을 치장한다.

그들은 그 옷과 가방이
정말로 예쁘고 멋져서 들고 다니는 걸까?
아니면 그럴듯하고 있어 보이며
남들의 부러움을 사기 위해서일까?

한때 이런 생각들로 인해 머릿속이 복잡했을 때
나는 내면을 가꾸기 위한 노력이 무엇일지 고민했고
나름대로 정한 몇 가지 방법들을 실천하기 시작했다.

1. 새로운 옷과 장신구들을 사지 않기
2. 그 돈으로 많은 문화생활을 즐기기
3. 내 취향이 무엇인지 알아가기
4. 내 안에서 끓어오르는 것들이 무엇인지 찾기

쇼핑몰에서 가장 잘 팔리는 옷들을 생각 없이 구매한 돈으로
영화를 보고 느낀 것들을 기록하기 시작했고
평소에 잘 가지도 않던 전시회에 가서
내 마음에 드는 그림을 고르기도 했다.

처음에는 이게 무슨 의미가 있을까 싶었지만
영화를 보며 느낀 것들을 기록했던 행동은
아무 생각 없이 살던 내게 삶의 교훈이 되어주었고
전시회에서 가장 마음에 드는 그림의 순위를 매기는 일은
쌓이고 쌓여 내가 정말로 좋아하는 것이 무엇인지,
내 취향이 무엇인지 찾게 해주었다.

우리는 자기 자신을 너무 모르고 살아간다.

내가 정말로 좋아하는 것이 무엇인지도 모르고,
가슴 뛰는 일이 어떤 것인지도 모르고,
그저 남들이 좋다고 하는 것을 좋아하면서
남들이 열광하는 것을 따라가기 바쁘다.
내가 정말로 좋아하는 것이 아닌 것을 좇느라
시간을 낭비하지 말자.

내면을 가꾸면 외면은 자연스레 가꿔진다.
별 의미 없이 무언가를 가지기 위해 애쓰던 내가 아니라
정말로 내가 가지고 싶은 것이 무엇인지,
내가 예쁘다고 생각하는
옷의 디자인이 무엇인지 알게 해주니까.
궁극적으로 나를 제대로 알게 해주니까.

완벽한 사람이 되지 않아도 된다

가수 김동률의 콘서트를 갔을 때였다.
1부가 끝나고 잠시 쉬는 시간에
그의 인터뷰 영상이 스크린에 나왔는데
자신의 음악관과 지인들이 말하는 김동률의 성격,
또 여러 가지 에피소드들이 담겨있었다.

영상 속에서 그가 말했다.

"사람들이 '김동률 음악은 늘 똑같다.'라고 하는데
그게 발전이 없다는 말인지,
변화가 없다는 말인지 잘 모르겠어요.
세상은 너무 빠르게 변하잖아요.
저는 제가 좋아하는 것들이 변하지 않았으면 하거든요.
자주 가는 맛집이라든지, 좋아하는 아티스트라든지.
이 세상에는 정말 다양한 것들이 있고
우리는 그걸 선택할 수 있는데
왜 한 사람에게 모든 걸 하라고 강요하는지 모르겠어요."

우리가 사는 세상에는 다양한 사람이 살고 있고
다들 개성이 있고, 각자의 매력도 다 다른 법인데
김동률이 김동률의 음악을 꾸준히 하면
매번 똑같은 음악이라서 지루하다고 말하고
유재석을 보고는 진행 스타일에
변화가 없어서 재미가 없다고 말한다.

좋아하는 음식점의 요리처럼,
사랑하는 나의 부모님과 가족처럼
우리 자신도 그렇게 생각할 수는 없는 걸까.

우리도 김동률처럼 생각해볼 필요가 있다.
세상이 아무리 변하라고 강요하고 따분하다고 다그쳐도
내가 잘하는 것을 지키면서
변함없는 모습으로 살면 되는 것처럼.

나 자신에게 말해주자.
내가 아닌 모습이 되기 위해 애쓰지 않아도 된다고.
내가 잘하는 것만 꾸준히 잘해도 된다고.

무례한 사람을 만난다면

이 세상의 모든 물체 사이에
서로 끌어당기는 힘이 존재한다지만
가끔은 지나치게 내 삶에 관여하거나
오지랖 부리는 사람에게
쉽게 마음이 열리지 않는다.
사람에게는 적절한 거리가 필요하기 때문이다.

살다 보면 내 상황을 다 아는 것처럼 말하거나
직접 내가 되어 살아본 적도 없으면서
내 감정을 이해하지 못한다고 말하는
사람들을 쉽게 만날 수 있다.
그들의 오지랖은 다른 사람의 인생을
자신이 겪어온 인생에 비추어
자신과 크게 다르지는 않을 거라
착각하는 것에서 시작된다.
그래서 타인의 감정을 헤아리지 못하고,
왜 그러냐고 다그치곤 한다.

정말 안타까운 것은 살아가면서
이런 사람들을 만나지 않을 방법은 없다는 것이다.
살면서 어떻게든 부딪히게 된다는 사실이다.
하지만 그럴 때마다 분노하고 열을 내는 것이
과연 우리의 유일한 선택지일까?

나는 타인이 내 공간을 무례하게 침범할 때마다
멋쩍은 웃음과 침묵으로 일관하는 것이 아니라
선을 넘었다는 것을 직접 말해주는 방법을 택했다.
내 삶과 당신의 삶은 다르니
당신이 하는 말에 아플 이유가 전혀 없지만
그런 식으로 다른 사람의 삶을 다 아는 것처럼
행동하는 것은 타인에게 실례라는 것을
아주 우아하고 정중하게 알려주는 것이다.

앞으로도 누군가 나에게 악의적인 말과 행동으로 다가올지라도
1차원적으로 화를 내는 것이 아니라
조곤하고 친절하게 무례함을 되돌려주는 방법을 택할 것이다.
그들의 오지랖에 열을 내며 반응하는 것은
어쩌면 그들이 가장 원하는 것일지도 모르니까.

나를 아프게 하는 사람에게
당당할 용기

스무 살이 되어 인생 첫 알바를 했을 때였다.
이제껏 용돈만 받고 살아오던 나에게
알바는 생각했던 것보다 훨씬 더 힘든 일이었다.
식당에 가면 당연히 나오는 밑반찬과
물, 접시 같은 것들을 직접 준비하고 닦고 정리하는 일은
돈을 버는 일이 얼마나 힘든지 깨닫게 했다.

하지만 사람들은 말한다.
직장에서 일할 때 가장 힘든 것은
일의 강도나 능력의 부족함보다는
동료나 상사와의 관계에서 생기는 마찰이라는 것을.
나도 일을 배운지, 얼마 되지 않아서 실수가 잦았을 때
함께 일하는 형에게서 욕을 들은 적이 있다.
얼굴을 보고 들은 욕이 아니라 쪽지에 적힌 욕이었지만,
그걸 본 나는 어떤 반응을 해야 할지 몰라서
아무렇지 않은 것처럼 행동했다.
가슴은 쿵쾅거리고 일을 그만두고 싶을 정도로

모욕적이었는데도 말이다.

사람들은 본인의 험담을 듣게 되면
모른 척 넘어가는 경우가 많다고 한다.
반응하게 되면 관계가 틀어지고
불쾌하게 만든 사람보다 불쾌한 사람이 떠나라고 하는
사회의 잔인함 때문에.
하지만 그렇다고 해서 잘못된 것들을 꾹 참으면
이 사회는 조금씩 더 날카로워지지 않을까.
지금 와서 생각해보면 아직도 후회가 된다.
미숙한 탓에 실수한 것뿐이고, 그 대가가 분명 욕은 아닌데
왜 가만히 듣고만 있었는지,
스쳐 지나갈 사람의 말에 왜 그렇게 끙끙댔는지….

우리의 작은 용기가 필요한 시기다.
불쾌한 것을 불쾌하다고 말하고
이유 없는 험담과 불합리한 행동들을
묵인하지 않고 당당히 맞서는 것.
나를 아프게 만드는 사람들을 잃지 않으려고
내 가치를 깎아내리는 것을
보고만 있지 않았으면 좋겠다.

내가 가진 성질을 억지로
바꾸려 하지 말자

이 세상에는 수많은 사람이 있고
그 사람들은 각자 다른 성질을 가지고 있다.

나는 잠이 많은 편에 속한다.
어릴 때 아침형 인간이 부지런해서 성공한다며
사회에서 은근히 아침형 인간이 될 것을 요구했지만
개인이 가진 성질을 무시할 수 없듯
나는 아침형 인간이 되지 못했다.

우리는 살다보면 수많은 '카더라 통신'을 듣게 된다.
'어떤 열매가 피로 회복에 참 좋다더라.'
'이런 성격을 가진 사람이 결혼감으로 딱이더라.'
'가족 중에 누나가 있으면 여자를 잘 아는 남자더라.'
과학적으로 입증되지 않은 미신에 가까운 말뿐만 아니라
사회에서 우리에게 요구하는 말들 또한 많다.
'아침형 인간이 되어야 성공한다.'
'이런 길을 가야 한다.'

처음에 나는 그 말들을 믿고 그에 맞춰 나를 바꾸려했지만
아침형 인간은 나에게 맞지 않는 옷이었고
그 옷을 벗고 나서야 비로소 내 삶은 행복해졌다.

우리는 각자의 성질을
억지로 바꾸지 않아도 된다.
아침형 인간이 되지 않고도 잘 사는 사람들은 많고
젓가락질을 못하는 사람들도 밥 잘 먹고 다닌다.

사회에서 요구하는 말들과 들리는 말들을
지나치게 신경 쓰며 나 자신을 바꾸지 않아도 된다.
잠이 많은 나도 충분히 행복할 수 있고
다른 내가 되지 않아도 전혀 부족하지 않음을
스스로 느끼는 것이 우선이다.

그저 다른 삶이다

나는 작업을 할 때 새벽 시간을 자주 빌리곤 한다.
시끌벅적한 낮보다는 어둠이 차분히 내려앉은
새벽에 글이 더 잘 써지기도 했고
이런저런 생각들이 자꾸 떠오르기 때문이다.

나는 정해진 출근이 없는 프리랜서나 마찬가지다.
어떤 책을 써야겠다는 방향이 정해지면
내게 주어진 건 원고 마감 기한.
언제 글을 쓸지, 어떻게 쓸지는
그저 나의 마음대로 정해지는 것이니까.

주변 사람들은 이런 내 삶을 보고 부럽다고 말한다.
원하는 시간에 잠들 수 있으며 깨어날 수 있는 것.
누군가 출근하는 시간에 잠을 자는 것이
여유로워 보이고, 행복해 보이니까.

하지만 그들이 내 삶을 살아보는 순간,

보이는 것처럼 쉽지 않다는 것을
깨닫게 되리라 확신한다.

우리는 타인의 삶을 보면서 내 생각으로 쉽게 판단을 내린다.
'저 삶은 어떨 거야. 좋을 거야, 혹은 나쁠 거야.'
자세히 알지도 못하면서 그저 자신의 느낌대로
그게 곧 진실이라 확신한다.

하지만 그 누구의 삶에도 나름대로 힘든 부분이 있다는 것.
그걸 간과하지 않았으면 좋겠다.
상대적으로 자신의 삶보다 나아 보인다고
함부로 판단하지 않기를.
어떤 삶에든 보이지 않는 걱정과 어려움들이 숨어 있다.

나는 남들이 편하게 잘 시간에 글을 써야 하고
남들이 깨어있을 때는 잠에 취해야만 한다.
그래야 나의 하루가 돌아가니까.
밤이 와도 개운하지 않다.
사람들이 아침에 일어나는 것을 힘들어하는 것처럼
나 또한 마찬가지로 일어나는 일이 너무나 힘들다.

그러니 남들의 삶을 보면서 자신의 삶과 비교하거나

뭐가 더 낫다, 누가 더 힘들다 같은
불필요한 감정 낭비를 하지 않기를 바란다.
모든 삶은 크게 다르지 않으며,
조금 다르게 보이는 것뿐이니까.

지금 나의 모습

돌이켜보면 나는 항상 내 모습에 만족하지 않았던 것 같다.
학창시절부터 나는 또래 친구들과 비교해보면
덩치가 큰 편에 속했다.
워낙 먹는 것을 좋아했지만 동시에
축구나 농구 같은 스포츠도 좋아했던 터라
듬직함을 넘어서서 조금 과하게 느껴져
내 모습이 싫다는 생각까지도 했다.

어느 날, 학창시절에 찍었던 사진을
우연히 보게 된 나는 깜짝 놀랄 수 밖에 없었다.
그 당시의 나는 분명 스스로를 뚱뚱하다고 생각하고
멋진 부분이 하나도 없다고 좌절했었는데
사진 속의 나는 꽤 괜찮은 모습이었기 때문이다.

늘 그랬다.
지난 날들의 사진을 볼 때면 항상
'이때는 괜찮았지.'라고 생각했다.

하지만 그 이유는 지금의 내 모습을
인정해주지 않았기 때문이었다.

자신의 모습을 사랑하는 것은 그 어떤 것보다 중요하다.
지금 내가 가지고 있는
스스로에 대한 불만도 가질 필요가 없으며
남들이 지적해서 고치고 싶은 단점들도
실은 단점이 아닐 수 있다는 것이다.

타인이 나를 좋게 봐주는 것은
우리에게 잠시 기쁨이 되어주겠지만
정말로 중요한 것은 내가 나 자신을 좋게 봐주는 것이다.
누군가의 칭찬을 기다리고 그로 인해 만족을 얻는 것보다
내가 가진 모습에 만족하고 나 자신에게 칭찬이 되어주는 것.
과거의 내가 내 모습에 정말로 만족하며 살았다면
지금의 나는 조금 더 멋진 사람이 될 수 있지 않았을까?

지금 내 모습을 사랑하는 것에서부터
한층 더 성장하게 되는 것 같다.
나에게 만족하는 것은 결국 내 삶에 만족한다는 것일 테니.

관계에 신중할 것

우리는 살면서 정말 다양한 사람을 만나게 된다.
감사하게도 대체로 좋은 인연들을 많이 만났던 삶이었지만
생각했던 것과는 다르게 뒤통수를 치거나
내 마음에 상처를 낸 이들을 만난 기억은
아무리 시간이 지나도 쉽게 잊혀지지 않는다.

요즘은 누군가를 알아가기 전에
'이 사람이 정말 괜찮은 사람일까?'
나 자신에게 질문을 던지곤 한다.
처음에는 좋은 사람인 것 같다가도
시간이 지나면서 보이는 전혀 다른 모습에
실망하는 횟수가 잦아졌기 때문이다.
관계가 깊어지기 전 머뭇거리는 시간이 길어진 것이다.

그래서 상처를 예방하고자 나름대로 생각한 방법이 있는데
그 사람과 만나서 밥을 먹거나 커피를 마실 때
알바생을 대하는 태도를 보는 것이다.

그들도 똑같이 존중받아야 할 존재라는 것을
간혹 모르는 사람이 있기에
알바생에게 대하는 태도를 보고
관계를 일찍이 끊어버릴지, 이어나갈지를 정한다.

마음을 잔뜩 쏟았는데 실망하게 되고,
뒤늦게 멀어지는 것보다는
조금 더 신중하고 꼼꼼하게 마음 낭비를 하지 않는 편이
내 삶에 훨씬 더 좋은 영향을 가져다줄 테니까.

01 이제 내 것을 사랑할 차례

자존감 도둑

우리 주변에는 알게 모르게
자존감을 훔쳐가는 사람들이 숨어 있다.

우리는 서로에게 영향을 끼치며 살아가는데
평소에 나누는 대화를 보면
즐겁게 느껴지는 사람이 있고
기분을 나쁘게 만드는 사람이 있다.
우리의 자존감을 갉아먹는 도둑들은 보통 후자에 있다.

우리는 타인의 단점을 지적하는 것에 능한
자존감 도둑을 멀리하려고 노력해야 한다.
처음 몇 번은 신경 쓰지 않는다고 해도
의도적인 지적을 계속 듣는다면
어느새, 정말 그런 단점을 가지고 있는 것은 아닌지
자신을 탓하게 되고 단점만을 생각하게 되기 때문이다.

자존감 도둑은 특히 가까운 사이에 많다고 한다.

대학생이 뽑은 자존감 도둑의 1위가 엄마였고
2위가 동기, 3위가 절친한 친구라는 조사 결과처럼
오히려 친밀한 사이일수록
애정을 가장한 독한 말들을 내뱉는 경우가 많고
우리는 그런 말로 상처를 받는다는 것이다.

알아두어야 할 것은
내가 진심으로 잘 되기를 바라는 사람은
단점을 대놓고 지적하는 것이 아니라
개선하면 좋을 만한 것들을 말해주되
나를 깎아내리지 않는다는 것이다.

지반이 약하면 땅이 무너지게 되고
마음이 약하면 사람은 무너지게 된다.
충격이 계속 가해지면 아무리 강한 것들도 부서지고
흠집이 생겨 무너지기 마련이다.
그러니 주변에 자존감 도둑이 있지는 않은지
언제나 살피며 살아야 하는지도 모른다.
그들의 곁에서는
당신을 온전히 사랑하게 되는 일이 어려워질 테니까.

피할 수 없는 마찰도 있다

외국에 가기 전에 보통 그 나라의 예절이나
하지 말아야 할 행동을 검색하고 숙지하곤 한다.
로마에 가면 로마법을 따르라는 말처럼,
우리나라에서는 아무렇지 않던 행동들이
그 나라에서는 금기되는 행동일 수 있기에
사전에 알아놓아 충돌을 막는 것이다.

우리나라에도 지켜야 할 예절이 있다.
상황과 장소에 따라서 달라지곤 하는데
영화관에서는 시끄럽게 떠들지 않고
앞좌석을 발로 차지 않는 것,
식당에서는 큰 소리로 쩝쩝대지 않는 것들이 있다.

이처럼 우리는 나를 위해서라기보다는
타인에게 불편을 주지 않기 위해서
비록 내가 조금 불편할지라도
일상생활에서 참 많은 것을 신경 쓰며 살아간다.

하지만 우리의 노력에도 불구하고
타인과의 마찰을 완전히 피할 수는 없다.
생각지도 못한 것 때문에 관계가 산산조각 나기도 한다.
내가 아무리 예절을 잘 지키고 행동하더라도
무례한 사람이 있으면 결코 평화로울 수 없는 것처럼
사람은 각자 다른 성질을 가지고 있기에
내가 아무리 조심한다고 해도 소용없게 된다.

예전에는 누군가와 충돌할 때마다
대체 원인이 뭘까, 마찰을 피할 수 있는 방법은 뭘까
고민하고 마음 깊이 아파하기도 했었는데
이제는 내가 옳은 행동을 하고 있음에도 불구하고
누군가와 자꾸 부딪히고 소음이 생긴다면
그건 내 잘못이 아님을,
내가 어쩔 수 없는 것임을 깨닫고
그저 그런 사람에게서 멀어지는 방법을 택하고 있다.

그러니 살아가면서
이해하지 못할 사람들을 마주하게 된다면
구태여 당신을 고치려고 하지 말고
그저 그들의 곁에서 멀어지기를.

bye bye my blue

나는 언제나 욕심이 많았다.
더 가지지 못해 초조해했고 달콤한 사탕을 먹고 있으면서도,
누군가 초콜릿 포장지를 뜯으면
사탕을 집어 던지고 초콜릿을 먹곤 했다.

하지만 욕심은 언제나 나를 괴롭게 만든다.
내가 가진 것들을 하찮게 여기게 되고
내가 가진 순간을 쓸모없다고 생각하게 한다.
사람에 대한 욕심을 가지면 혹 내 곁에 있는 사람보다
더 좋은 사람이 이 세상에 존재하지 않을까 생각하게 된다.
점차 그 생각은 확신으로 변해가고
왠지 모르게 내 곁에 있는 사람의 부족함만 눈에 띄게 된다.

욕심의 끝은 절망이고 더 나은 사람 위에는 더 나은 사람.
그 위에는 더더 나은 사람이 있을 뿐이다.
우리의 욕심을 제어하지 않는 한
우리는 단 한 순간도 만족하며 살 수 없다.

그게 사랑이든 삶이든.

그러니 욕심은 저 멀리에 두자.
지금 내가 다니는 길을 사랑하고,
내 곁에 있는 음악을 사랑하고
친구를 사랑하고 연인을 사랑하자.
더 많은 것을 갈구하는 마음을
내 곁에 머물러 있는 존재를 사랑하는 것에 쓰자.

나라는 사람을 지금까지 키워오신
부모님의 사랑을 새삼 떠올리기도 하며
내일이 아닌 지금을, 저것이 아닌 이것을
다른 사람의 초콜릿보다 내가 쥐고 있는 사탕을
조금 더 사랑하면서.

욕심을 버리는 순간 우리는
지금 내 곁의 아름다움을 느낄 수 있다.
다른 게 아닌, 다른 사람이 아닌
내 것을, 나를 사랑할 차례다.

취향에 우위는 없다

나는 발라드를 좋아하고 너는 클래식을 좋아한다고 해서
나는 인디음악을 좋아하고 너는 힙합을 좋아한다고 해서
내가 아는 가수를 너는 모른다고 해서
내가 아는 맛을 너는 느끼지 못했다고 해서
내가 가진 취향이 너보다 높은 것이 아니고
네가 가진 취향이 나보다 낮은 것이 아니듯이
취향에는 우위가 없다.
그저 서로의 취향이 있을 뿐 더 낮고 좋은 것은 없다.

남들이 아무리 싫어하고 무시해도
나를 끓어오르게 하는 음악이 있다면
그 음악이 내게 딱 맞는 음악인 거다.
누가 뭐라고 해도 내게는 좋은 음악이 되는 것이다.

내가 알고 있는 것, 내가 가지고 있는 것이 최고라고 생각하며
다른 사람이 알고 있는 것, 가지고 있는 걸
우습게 보는 태도는 옳지 않다.

'취향 존중'이라는 말이 생겨난 것도
취향에 순위를 매기는 사람들이
누군가의 취향을 무시하고
하찮게 바라보기 때문인지도 모른다.
존중 없이 우위를 점하려고 해선 안 된다.

그러니 혹여나 그러한 태도로 삶을 살아왔다면
서둘러 마음을 고치기를 바란다.
이 세상 모든 사람은 다 다르다.
당연한 이 사실을 모르는
소수의 사람이 되지 않기를 바란다.

유행은 돌고 돈다

사람들은 유행을 따라간다.
유행하는 것들은 언제나 매력적이고
유행을 따르면 소외되지 않으니
마다하지 않는 것이다.

나도 유행을 따라서 충동적으로 옷을 산 적이 있고
남들이 재밌다고 즐겨하는 게임을 산 적도 있다.
나는 별 생각이 없었는데 다수가 좋다고 하니까,
또 내 주위 사람들이 좋아하니까,
좋아하는 척 그들을 따라 하곤 했는데
지금 와서 생각해보면 그 시간이 후회된다.

◦ 나만의 안목을 기르는 것.
◦ 확고한 취향을 가지는 것.

이 두 가지가 얼마나 중요한 것인지,
유행처럼 잠깐 반짝하는 것들이 아닌

오랜 시간 담백함을 주는 것들이
오히려 더 멋스럽다는 것을 비로소 깨닫게 됐다.

우리는 혼자 살아갈 수 없고
어쩔 수 없이 타인과 함께 살아가는 세상인 만큼
우리는 타인에게서 자연스레 영향을 받게 된다.
그 말인즉 수많은 사람에게 둘러싸여 있는 지금,
누군가 좋다는 것을 가리지 않고 따라하며
내가 가진 안목을 믿지 않고 그저 유행을 따라다니다 보면
나를 잃어버릴 수도 있다는 말이다.

그러니 어떤 결정이든, 어떤 순간에서든
타인의 의견보다는 나 자신에게
질문을 던지는 사람이 되기를 바란다.
나의 삶에 '나'보다 '타인'을
더 많이 담아내는 일은 없어야 하지 않겠는가.

행복의 크기를 알아낼 것

'다른 사람의 행복으로 나의 불행을 사지 말자.'
문득 머릿속을 스쳐간 말이다.

타인의 행복을 구경하기란 너무나 쉬워진 세상이다.
조금만 눈을 돌리면 나보다 즐거워보이는 사람이 한 가득이고
나보다 좋은 옷, 예쁜 신발, 비싼 차를 가지고 있는 사람이
집 앞 길거리만 해도 넘치듯 많으니
우리가 타인의 행복을 보면서 불행을 느끼는 것도
어쩌면 그리 이상한 일이 아닐지도 모른다.

행복에는 크기가 있다고 믿는다.
그 크기는 사람마다 달라서
다른 사람은 10만큼의 행복을 가져야만
행복의 최대치에 근접해지는 반면에
나는 5만큼의 행복으로도 넘치게 행복할 수 있는 것이다.

객관적인 행복만을 보면 10만큼의 행복이

5만큼의 것보다 훨씬 크고 멋진 것이 맞겠지만
그것보다 더 중요한 것은 내게 맞는 행복을 찾는 일이다.
끊임없이 나 자신에게 질문하고 답하며,
어떤 것으로 내가 웃음 짓게 되는지
어떤 것으로 나의 행복이 만들어지는지
스스로 알아내는 것이 우선이 되어야 할 것이다.

그러니 무작정 크고 아름다운 것만 바라며 살지 말자.
내가 찾아야할 것은 '내게 맞는' 행복이니까.

2장

넘어져도 더 이상

울지 않아도 돼

사소한 다짐들

막연한 기대를 품지 않을 것.
어떤 상황이 와도 이겨내야겠다는 나의 의지가 없으면
그 어디로도 나아갈 수 없음을 깨달을 것.
가만히 있으면 상황은 절대로
나아지지 않는다는 것을 알 것.
지나친 긍정에 빠져 나태해지지 않을 것.
현실을 회피하지 말고 당당히 맞설 것.
이 세상 모든 것에는 예외가 있고
나 또한 피해갈 수 없다는 것을 명심할 것.
삶이란 건 잘 나아가는 것 같다가도
한순간에 미끄러질 수 있다는 것을 염두에 둘 것.
희망이 언제나 내게 득이 될 거라 착각하지 않을 것.
기대가 커질수록 상심은 더 크다는 것을 알 것.
그 어떤 삶도 당신의 삶보다는 중요하지 않기에
더 치열하게 살 것.

슬럼프

누구에게나 슬럼프는 온다.
대중의 관심은커녕 주변에서조차
인정을 받지 못하는 예술가에게도,
한때 이름을 날리며 톱스타의 삶을 살았던 사람에게도
슬럼프는 찾아오게 되어있다.

슬럼프에 빠지면 나 자신을
미워하기 딱 좋은 상황이 만들어진다.
아무리 달려도 제자리에 멈춰있는 것 같고
때로는 너무 빨리 꿈을 이뤄버려서
앞으로 무엇을 위해 살아야 할지
답을 찾기 어려운 참 힘든 시기.

연예인들의 슬럼프 경험담을 들어보면
대부분 자신이 원하는 목표를 이루게 되었을 때,
혹은 정말로 꿈꾸던 자리까지 올라서게 되었을 때
'나는 이제 어떤 목표를 위해 살아야 하지?'

'이미 나의 한계에 가까워진 게 아닐까?' 하며
우울증에 빠지는 경우가 많다고 한다.
이제껏 목표를 이루기 위해 열심히 달려왔는데
막상 그 목표를 이루고 나니까
어디로도 가지 못하고 정체된 것 같은 기분이 드는 거다.

그럴 때일수록 사람들은 평소에 하지 않았던 것들,
색다르게 변한 모습을 보여주곤 하는데
슬럼프를 겪어본 결과, 느끼게 된 것이 하나 있다.
빠져나오기 위해 발버둥 치지 않아야 하는 것.

슬럼프는 마치 갯벌과도 같아서 어떻게든 빠져나오기 위해
내 삶에 힘을 주고서 몸부림을 치면 점점 더 깊은 곳으로
빠지게 될 뿐, 대체로 더 나아지지는 않더라.

사람은 누구나 하락세를 겪는다.
그게 인생의 그래프든, 사랑의 그래프든
한창 행복하다가도 끝도 없이 가라앉는 순간이 오는데
그럴 때일수록 몸에 힘을 빼고,
흘러가는 나의 하루 위에 그저 몸을 누이자.
그게 슬럼프라는 갯벌에서 탈출할 수 있는 방법이니까.

원인 모를 불행한 일들과

생각처럼 되지 않는 것들 사이에서

열심히 하루하루 고군분투하는 당신을 응원한다.

연약한 어른

좋아하는 아이에게 인사를 건네기도 쑥스러워
숨어버린 때가 있었는데
어느새 시간이 흘러 나는 성인이 되었다.
연약한 마음과 생각하는 것은 그대로인데
몸만 커버린 것 같은 느낌.
어렸을 적 내가 생각한 어른의 모습은 이런 게 아니었는데
거울 속 내 모습을 보니
서글픈 감정이 울컥하고 터져 나올 것 같다.

꿈을 꿀 시기는 지난 것 같고
어디로 흘러갈지 방향을 잡아야 하는 지금,
나는 어디로 가야 할까.
철없던 나의 어린 시절,
그리고 별반 다를 것 없는 나의 20대.
누가 길을 알려주지도 않고 뒤를 봐주지도 않는
이 길 위에서 불현듯 어떤 생각이 스친다.

이 세상의 많은 어른, 그리고 부모님조차도
나와 같은 고민을 하며 자랐고
같은 길을 걸어왔다는 사실.
어른이 되었지만, 어른이 되기 위해 애쓰고
부모가 되었지만, 부모가 되기 위해 노력하는 우리들.

처음부터 어른으로 태어난 사람과
부모로 태어난 사람은 없으니
내가 겪는 방황과 혼란스러움도 자연스러운 것이라고.
그러니 조금 가벼운 마음으로 살아가려고 한다.
언젠가 지난 시간의 나를 돌아볼 때
'그때 참 좋았고 그립지만
지금도 충분히 행복해.'라고
만족할 수 있는 사람이 되기 위해.

남은 열정과 뜨거움을,
이 길 위에 모두 쏟아놓아야겠다.
진짜 어른으로 남기 위해.

삶은 그림과 같아서

학교에서 그림을 그릴 때면
항상 채색 과정에서 그림을 망쳤던 기억이 있다.
스케치는 근사했지만, 색을 입히는 단계에서는
생각처럼 잘 되지 않았고
상상하던 것과 다른 그림이 되어버려서
미술에 대한 흥미가 떨어졌었다.

하지만 10여 년이 지나고
그림과 삶은 참 닮아있다는 걸 느꼈다.

사람들은 꿈을 꾼다.
누구는 무대 위에서 노래하고 있는 모습을 그리고
누구는 아픈 사람들을 돌보는 일을 그린다.
그리고는 그린 꿈을 채색하는 단계인
꿈을 살아가는 단계를 거친다.

내가 색을 입히는 과정에서 망쳐버렸던 것처럼

대부분의 사람들은 꿈을 채색하는 과정에서
실패를 겪곤 한다.
아니, 자신이 생각하던 것과 다른 결과에
힘들어하고, 실패했다고 생각한다.

하지만 색을 덧입혀 보완하거나
다른 도화지에 다시 그릴 수 있듯이
삶도 조금씩 수정이 가능하다.
그림을 망쳐도 내일은 또 다른 기회가 생기고
만회할 수 있는 시간이 온다.
그러니 스케치를 잘못 했다고 해서
색을 엉망으로 칠했다고 해서 삶이 끝난 것처럼,
모든 기회가 사라진 것처럼 슬퍼할 필요는 없다.

미술에 흥미를 잃었던
10여 년 전의 나는 그때보다 성장했다.
그림도 제법 잘 그리고, 또 다른 꿈을 꾸며 살고 있다.
우리는 삶을 살아가면 된다.
부족한 부분은 채우고 미흡한 부분은 덮어나가면서.
그렇게 열심히 나를 다듬어 가면 된다.

편리한 세상

늦은 밤까지 작업을 하다가 오후가 되어서야 눈을 떴다.
습관처럼 핸드폰을 들어 쌓인 알림을 확인하려 했으나
핸드폰 상단에 표시된 '서비스 안 됨'이라는 문구를 보았다.
몇 시간 전만 해도 잘 되다가 왜 이러는 걸까 했지만
가끔 핸드폰이 잘 터지지 않았던 것이 생각나
곧 괜찮아질 거라고 대수롭지 않게 여겼다.

그런데 느긋하게 씻고 나와 핸드폰의 잠금을 풀었는데도
여전히 같은 문구가 떠 있자 불안해지기 시작했다.
핸드폰이 고장 난 건가 싶어서 서둘러 컴퓨터를 켰지만
맙소사, 인터넷마저 연결이 되지 않았다.
도대체 무슨 일인가 싶어 골목으로 뛰쳐나왔다.
인근의 한 통신사 건물에서 불이 나
지역 통신망이 마비되었다는 이웃 주민의 말을 듣고
그제서야 핸드폰이 먹통이 된 원인을 알 수 있었다.

그 이후로도 이틀 정도

핸드폰과 인터넷이 끊긴 채로 지냈는데
그 일을 통해서 새삼 내가 편리한 세상에서
살고 있었다는 사실과 그 이면의 무서움을 보았다.

우리는 기계와 밀접하게 살고 있다.
그래서 1분이라는 시간 동안에도 수많은 정보를 얻을 수 있고
지구 반대편에 있는 사람과도 대화를 나눌 수 있다.
하지만 우리는 그 편리함 때문에 많은 것을 놓치고 있다는
사실 또한 간과하지 말아야 한다.
아주 잠시 마비된 것뿐인데도 일상이 엉망이 되는데
만약, 영원히 통신이 끊긴다면 우리는 친구와
가족의 얼굴을 다시는 볼 수 없을지도 모른다.

나는 그날 이후로 기계에 내 삶을 맞추지 않고
전보다 조금 낡은 방식으로 하루를 살기 시작했다.
핸드폰만 있으면 언제든 쉽게 연락할 수 있다는 이유로
관계를 위해 노력하지 않았던 과거의 내 모습에서 벗어나
가족과 친한 친구의 번호 정도는 기억하며
요즘은 어디서 사는지, 직장은 어디에 있는지
적당한 안부와 잦은 만남으로 관계를 유지했다.
남는 시간에 컴퓨터를 하며 의미 없는 시간을 보내지 않고
충분한 책을 곁에 둔 채 이런저런 지식과

삶에 대한 의미를 채우며 산다.

우리는 알게 모르게 편리한 세상에 중독되어 살아왔다.
분명 그 덕분에 삶의 질은 나아졌지만
기계가 사라지고 통신이 마비된다고 해서
흔들리는 삶이라면 조금 달리 살아갈 필요가 있지 않을까.
나는 기계가 사라져도 만날 수 있는 사람이 있고
지루하지 않게 시간을 보낼 수 있도록
편리함에 취한 내 생활을 조금씩 해독하려고 한다.

삶의 일부가 되어버린
인터넷과 핸드폰을 완전히 없앨 수는 없겠지만
그것 때문에 삶이 흔들리는 건 원치 않으니까.

느리지만 예쁜 길

아는 형이 해외여행을 가서
현지인에게 길을 물었대요.
그리고 그 사람이 알려준 길로
무작정 걷기 시작했는데
아무리 걸어도 목적지는 나오지 않았고
알고 보니 그 길은 빙빙 돌아가는 길이었던 거죠.

다음 날 그 사람에게 찾아가서 물었답니다.
대체 왜 곧장 가는 길을 알려주지 않고
오래 걸리는 길을 알려준 거냐고.
그러자 그 사람이 말했답니다.

"그 길은 비록 빠른 길은 아니지만
이 동네에서 가장 예쁜 길이에요.
당신이 이곳을 여행하면서 좋은 것을 보고
더 많은 것들을 느꼈으면 해서 일부러 그 길을
알려준 거니 기분 나쁘게 생각하지 말아요."

그 말을 들은 형은
다시 그 길을 걸어보았는데
어제는 미처 보지 못했던 풍경들이
참 예뻤다고 하더군요.

저는 이 말을 듣고 우리가 너무 빠른 삶에
중독되어 있는 것은 아닌가 하는 생각이 들었습니다.
한 번에 가는 길은 아니더라도 둘러보면 참 아름다운 길인데
빠르지 않다고 불평을 하면서 풍경들을 놓치는 것처럼 말이죠.

지도를 켜면 제일 빠른 길을 안내해주고,
내비게이션을 켜면 막히지 않는 길을 알려주고,
지하철 어플을 켜면 빠른 시간표를 알려주는 요즘.
빙빙 돌아가는 길에서도 인생 최고의 풍경을 만날 수 있고
수많은 것들을 느끼고 우연처럼 인연을 만날 수도 있는 것처럼
느긋한 행복도 있는 법이니
언제나 빠른 것만이 답이 아니라는 것을 알았으면 좋겠습니다.

출발이 늦다고 해서
불안해하지 말자

졸업을 앞두면 마음이 싱숭생숭해진다.
취업한 친구들의 성공담이 대학가에 퍼지면
취업하지 못한 자신을 탓하는 횟수가 잦아지게 된다.

사람들이 말하는 인생에서 중요한 몇 가지 관문이 있는데
그 중 첫 번째는 대학 진학이다.
스무 살이 되면 원하는 대학에 들어간 사람과
원치 않는 대학에 가게 된 사람,
재수를 하는 사람으로 나뉘어
각자 성공의 짜릿함과 실패의 쓸쓸함을 맛보게 된다.

나는 스무 살에 원치 않는 대학에 입학했다.
원하는 전공을 배울 수 있는 곳이 아니라
그저 집에서 가까운 거리의 대학을 선택했고
흥미 없는 전공이라도 적응하면 괜찮을 거라며
무작정 입학해서 한 학기를 보낸 뒤 결국 자퇴를 했다.
다음 해에 원하는 학과에 입학하게 되었지만

남들이 봤을 때, 나는 20대의 1년을 날린 사람이었다.

하지만 내가 또래 친구들보다 돈을 더 빨리 벌게 되고
어엿한 직업을 가지게 될 거라는 걸 누가 알았을까?
얼마나 빨리 출발하는지는 별로 중요하지 않다.
정말로 중요한 건, 어떤 레이스를 펼치는지다.
출발은 조금 늦어도 남들보다 먼저 결승선을 통과할 수 있고
훨씬 더 값진 보상을 얻을 수도 있다는 것을 기억하자.

먼저 출발하는 이들을 보며
나 혼자만 제자리인 것 같다고 느껴진다면
그들은 차를 타고 천천히 가고 있는 거고
나는 곧 이륙할 비행기를 기다리고 있는 거라 생각하자.
다른 누군가의 시선에도 묵묵히 내 길을 걷자.

변화가 두려운 그대에게

한때 변화라는 것이 지나치게 두려웠다.
나 자신에게도 만족하지 못했다.
그 이유는 '내일'이 두렵다는 이유 때문에.

하루 사이에 많은 것들이 바뀌는 세상.
당장 일주일 뒤, 하물며 한 달 뒤에
내가 어떤 모습을 하고 있을지,
행복할지, 슬플지도 모르겠는데
10년, 20년 뒤 내 모습을 상상하면
어떻게 변할지 무서웠고 두려웠다.

하지만 일어나지도 않은 일들을 걱정하며
하루하루를 보내다 보니 내 삶이 피폐해지는 것을 느꼈다.

내일이 걱정되어 오늘을 망치는 게 과연 옳은 일일까?
스스로에게 질문을 던진 나는
단지 오늘을 어떻게 살 것인가만

생각하고 고민하기로 했다.
조금은 부족하더라도 하고 싶은 게 생기면 시도해보고
용기가 없어서 하지 못했던 것들을 도전하며
오늘을 알차게 채우는 일.

미래에 대한 걱정은 누구나 가지고 있지만
가끔은 그 미래에 집착하고 불안해하면서
정작 오늘을 하찮게 보내는 사람들이 있다.

하지만 이 사실을 잊지 않았으면 한다.
오늘이 쌓여 미래가 되고 하나의 삶이 된다는 것을.
미래에 대한 걱정과 불안으로 나의 하루를 소진하지 말자.
멋진 오늘이 모여 멋진 삶이 될테니.

4등의 행복

우리나라만큼 순위경쟁에 치열한 나라가 있을까?
어렸을 때부터 우리는 순위에 민감했다.
아이가 언제 처음 말문을 여는지에 따라서
머리가 똑똑하다는 것을 정의하고
초등학교에서부터 성적표를 통해
1등부터 꼴등까지 구분 짓는다.
점차 순위 경쟁에 익숙해진 우리는
중학교, 고등학교를 거치며
경쟁에서 이기기 위해 조금 더 독해진다.

1등만을 기억하는 세상.
우리는 꼭 1등이 되어야만 할까?

예전에 〈4등〉이라는 영화를 본 적이 있다.
천부적인 재능을 가지고 있는 수영 선수가 있는데
부모는 아이의 1등을 위해서 코치의 체벌도 모른 척 넘어가고
아이가 물속을 헤엄치고 있을 때

응원을 해주는 게 아니라
초시계를 들고 기록을 재고 있었다.

아이는 정말로 스스로 원해서 헤엄치는 게 맞는 걸까.
부모는 아이의 성공을 위한다는 이유로
자신의 욕심을 채우는 건 아닐까.

'행복은 선착순이 아니라 자유로울 때'라는
한 영화평론가의 말처럼
우리는 조급하고 불안한 1등보다
나아갈 곳이 보이는 4등의 삶을
더 행복하다고 느낄 수 있는 것 같다.
어떤 일을 하든지 순위는 매겨지지만
과정 속에서 웃을 수 있는 사람이 되는 것.
그게 우리에게 필요한 태도가 아닐까?

비록 4등이라도 그 과정이 행복하다면
불안한 1등보다는 건강한 삶을 사는 것일 테니.

이유 없는 화살에 아파하지 않을 것

살아가다 보면 가끔 나를 향해 화살을 쏘는 사람이 있다.
뾰족하고 날카로운 화살에는 배려도 없고 이해도 없다.
그건 아무리 피하려고 해도 피할 수 없어
내 마음 깊숙이 고통스럽게 자리 잡는다.

전에는 누군가가 나에게 화살을 쏘면
내 몸에 맞지 않은 화살도 주워
직접 내 몸에 찔러 넣기도 했다.
누군가가 나를 향해 화살을 날렸다는 그 자체로
그럴만한 이유가 있을 거라,
내게 잘못이 있을 거라고 착각했으니까.

하지만 나를 향한 이유 없는 화살은 너무나 많고,
그 화살에 찔려 아파할 필요가 없다는 것을 알게 되었다.

나를 잘 모르고 하는 소리에 상처를 받는 것,
나의 사정을 알지도 못하면서 다 아는 척하는 사람들의

말에 스트레스를 받고 고통스러워하는 것….
이 모든 것들에 아파하는 것은 그냥 지나갈 바람에
나 스스로 베이는 꼴과 다를 것이 없다.

그러니 더는 날아오는 화살에 아파하지 않았으면 좋겠다.
나를 잘 모르고 하는 말에 죄책감까지 느낄 필요는 없다.
신경 쓰지 않는다면 대부분 알아서 비껴갈 테니.

내일보다 오늘을 더 소중히

적당한 예측은 삶에 도움이 되지만,
지나치면 오히려 삶을 괴롭게 만든다.
우리는 지나칠 정도로 미래를 생각하고 걱정하곤 한다.
나의 내일이 어떻게 그려질지 그 누구도 알 수 없는데
속단하고 미리 아파하는 것이다.
인생은 어떻게 흘러갈지 알 수가 없다.
한두 번 내가 내린 결정이 맞았다고 해서
다음에도 내가 옳을 거라고 확신하는 습관은
오히려 나를 불행하게 만들 수 있다.
절대로 잊어서는 안 된다.
나의 미래를 예측하기 시작하는 순간,
그 안에 갇혀버리게 된다는 것을.

오늘보다 내일을 더 생각하기보다
그저 지금 이 시간을 소중히 쓰기를 바란다.

우리는 실패가 무엇인지 모른다

나는 무료할 때 강연 동영상을 찾아본다.

사람들의 경험담을 듣는 일은 꽤나 즐겁다.

내가 잘 모르는 분야에 대해서 알게 되는 유익함도 있고

앞으로 만나게 될 다양한 가치관을 가진 사람들을

미리 만나는 것 같아 흥미롭기 때문이다.

성공한 기업인들의 강연을 보면 공통점이 한 가지 있다.

성공하기까지 수많은 폐업과 파산이 존재했다는 것.

여러 번 삶에서 미끄러졌음에도 불구하고

포기하지 않고 도전해서 지금의 성공을 얻었다는 것.

'우리가 실패라 부르는 것은

추락하는 것이 아니라 추락한 채로 있는 것이다' 라는

메리 픽포드의 말처럼 실패의 의미는

어쩌면 우리가 알고 있는 것과 다를지 모른다.

사업에 실패하고 원하는 대학에 가지 못하고

취업을 하지 못할 때 실패했다고 말하는 것이 아니라
사업에 실패해서 한참을 좌절 속에 빠져 있고
원하는 대학에 가지 못했다고 해서
그동안 해왔던 공부를 놓아버리고
더 이상 내 삶에 집중하지 않고 노력하지 않을 때.
추락한 채로 가만히 있을 때
정말 실패했다고 해야 하는지도 모른다.

이 세상에서 단 한 번도 발을 헛디뎌 보지 않은 사람은 없다.
어렸을 때 넘어져 보지 않은 사람도 없다.
하지만 발을 헛디뎠다고 해서, 넘어졌다고 해서
우리가 정말 실패한 사람이 되는 걸까?

넘어진 자리에 앉아 모든 희망이
사라진 것처럼 구는 게 아니라
툭툭 털고 다시 일어날 수 있고,
절뚝이면서도 어딘가를 향해 걸을 수 있다면
실패한 것이 아니라 잠시 멈춰선 거라고 생각한다.
잠시 숨을 돌리고 다시 걸어갈 준비를 하는 단계인 거라고.
그러니 앞으로 수많은 걸림돌에 넘어지더라도
당신의 걸음을 멈추지 않기를 바란다.

당신의 작은 성취

우리는 많은 목표를 가지고 살아간다.
누군가는 대기업에 취직하는 꿈을 꾸고
다른 누군가는 유명한 패션디자이너가 되고 싶어 하듯이.
꿈이 있다는 것은 삶의 목적이 분명하다는 것인데
문제는 간혹 지나치게
거창한 꿈을 꾸는 사람들이 있다는 것이다.

한때 나는 그 누구의 눈치를 보지 않아도 되는
나만의 공간, 내 집을 가지고 싶었다.
언젠가 그 목표를 이루리라 다짐하고
몇 년간 일에 빠져 살았고, 돈도 제법 모았지만
현실은 내 생각보다 엄격했으며 상상과는 크게 달랐다.

거창한 꿈을 꾸는 게 나쁘다는 말이 아니다.
다만 지나치게 멀리 있는 목표만을 위해 온 정신을 쏟으면
소소하게 성취한 것들을 모두 잊게 된다는 것이다.

성취감은 또 다른 목표를 향해
달려갈 수 있게 해주는 원동력이 되어준다.
우리는 알게 모르게 매일 무언가를 이루며 살아가지만
대부분 대수롭지 않게 여긴다.

나는 비록 내 집을 마련하지는 못했지만,
또래 친구들보다 더 많은 돈을 저축했고
언제든지 부모님께 맛있는 음식을
사드릴 수 있는 여유가 있다.

내가 집 마련이라는 큰 목표에만 빠져 살았다면
실패할 사람일지도 모른다.
목표를 이루지 못했으니까
하지만 정해진 시간에 일어나기,
잠에서 깨어나자마자 기지개 켜기, 하루에 세 끼 먹기 등
꿈을 이루기 위해 알게 모르게 해냈던
작은 목표들을 잊지 않는다면
실패자가 아닌 도전하는 사람으로 불릴 수 있다.

아주 작지만 확실하게 이뤄낼 수 있는 것들을
하루의 목표로 정해두고 꾸준히 실천하는 것만으로도
매일 무언가를 이뤄내고 있는 거라고 스스로 칭찬해보자.

꿈은 소박하지 않아도 된다.

누구도 넘보지 못할 정도로 큰 꿈을 꿔도 좋다.

다만 그 꿈으로 가기 위해

계단 하나하나를 오르고 있다는 사실을 잊지 않기를.

당신은 이미 많은 것들을 이뤄냈다.

후회하는 시간 줄이기

우리는 종종 후회되는 순간을 만들 때가 있다.
마음에도 없는 말로 누군가에게 상처를 안겨주고
때로는 섣부른 행동으로 나쁜 결과를 부르기도 한다.

하지만 시간은 되돌릴 수 없다.
내가 아무리 간절하게 바란다고 해도
이미 그 시간은 흩어지고 없다.

그나마 조금 위안 삼을 수 있는 건
후회를 남기지 않는 사람은 없다는 것.
누구나 후회를 품고 살아간다는 말일지도 모른다.
아무리 행복해 보이는 사람들도
마음 한 편에는 후회가 숨어있는 거다.

과거처럼 후회스러운 일을 만들어내지는 않을까, 걱정하며
아무것도 하지 못하고 그저 고여 있는 것이다.

하지만 잊지 말아야 할 것은
오늘을 어떻게 사느냐에 따라서
우리의 내일은 달라질 수도 있다는 것이다.
지난 과거에 생겼던 일을 되돌릴 수는 없겠지만
다가올 내일이 어떻게 그려질지는
내가 어떻게 하느냐에 따라서
충분히 달라질 수 있다.

그러니 너무 자주 뒤를 돌아보는 건 그만두자.
엎질러진 물은 이미 어딘가로 스며들었고
우리가 해야 할 것은 쏟아버린 물을 생각하며
나를 탓하는 것이 아니라 다시는 물을 쏟지 않도록
조심하고 노력하는 것일 테니까.

동대문 새벽시장

유익하게 하루를 보내기는커녕
그저 시간을 버리듯 살고 있던 때,
우연히 동대문 새벽시장을 가게 되었다가
적잖이 큰 충격을 받았다.
허리가 굽어진 할아버지와
언뜻 봐도 나이 많으신 어른들이
이른 새벽부터 무거운 짐을 등에 둘러업고
정신없이 바쁘게 일하고 있었다.

어쩌면 나는 나태해도 괜찮다는 평계를 찾으며
하루하루를 보낸 것 같다는 생각이 들었다.

흘러가는 1분 1초에도 누군가는 땀 흘려 일을 하고,
자신의 삶을 열심히 살아가는 사람이 있는데
나는 이런저런 이유를 대며
하루를 대충 흘려보낸 것 같다는 생각.

살아갈수록 시간의 중요성을 깨닫게 되는 것 같다.

매일 똑같이 주어지는 24시간을

어떤 방법으로 보내느냐에 따라서

삶의 질이 완전히 달라질 수 있다고.

이제는 잠에 취해 12시간 이상 자는 것도 멈추게 되었고,

내게 주어진 시간을 아깝게 낭비하는 일을 그만두게 되었다.

많은 시간을 버리며 살아온 지난날의 내 모습이

사무치게 후회되기도 하지만

느슨해진 마음을 다시 조이고 다짐하는 것만으로도

달라질 수 있다고 믿는다.

그러니 나 자신에게 떳떳할 수 있도록

하루를 충실히 살아가자.

노잼시기

요즘 대한민국에서 '노잼시기'를 겪지 않은
청년은 찾기가 어렵다.
노잼시기는 뭘 해도 재미가 없고
의욕이 생기지 않는 시기를 뜻하는 말인데
나에게도 그런 시기가 분명히 있었다.

내 경우는 학교를 다닐 때였던 것 같다.
쳇바퀴를 돌듯 매일 똑같은 시간에 일어나 학교에 가고
정해진 시간을 마치 로봇처럼 살아내는 것 같아
지루하고 따분하게 여겨졌다.
학생이기 때문에 경제적 여유 또한 없었고
사고 싶은 것을 봐도 '어차피 못 살 텐데 뭐…' 라는
생각에 우울해지기도 했다.

그러면서도 학생의 본분을 지키기 위해
재미없는 공부도 해야 했으니 삶에서 기쁨을 찾을 수 없어
노잼시기를 제대로 겪었던 것 같다.

나는 어떻게든 그 시기를 벗어나기 위해 발버둥 쳤다.
무기력함을 떨치려 애써 생기 넘치는 것처럼 행동하기도 했고
지루함을 극복려고 재미있다는 만화책과 영화를
가리지 않고 보곤 했었는데 크게 달라지는 것은 없었다.

그렇게 지쳐가던 어느날 생각했다.
'이 시기는 인생을 살아가는 누구에게나
한 번쯤 찾아오는 것이 아닐까.'
살다가 한 번은 먹구름 아래 있는 날도 있는 것처럼
이 시기 또한 내 삶에 찾아오는
먹구름 같은 걸로 여기기로 했다.
처음 며칠은 별다른 효과가 없는 것 같았는데
시간이 지나자 점차 통증이 무뎌져 갔다.
내 머리 위 먹구름이 언젠가는 흘러갈 것을 알게 되니까
먹구름을 보며 열을 내는 것이 아니라
그냥 그 아래 서서 지나가기를 기다리게 된 것이다.

노잼시기는 누구에게나 한 번씩 찾아온다.
재미있는 순간이 있다면 재미없는 순간도 있는 것이다.
우리가 이 시기에 더 우울해지는 것은
벗어나려 발버둥을 치고 있기 때문인지도 모른다.

따분한 시간을 벗어나기 위해서
음악과 영화를 수단으로 삼는 게 아니라
그 자체를 즐겼다면 무언가를 느끼게 되고
그로 인해 삶이 조금 더 재밌어질 수도 있는데
벗어나는 것에만 초점을 맞추었기 때문에
재미를 느낄 여유가 없었던 것일지도 모른다.

그러니 그 시간을 부정하지 말고 피하려고 애쓰지도 말자.
내 머리 위의 먹구름은 금세 어딘가로 흘러갈 것이다.

넘어진다고 해서
반드시 울 필요는 없다

내가 어렸을 적에는
어린 아이들이 뛰어다니다가 넘어지기라도 하면
주변에서 "아유 어떡해!" 하는 소리와 함께
아이가 목놓아 우는 장면을 쉽게 목격할 수 있었다.
나도 넘어지는 날엔 부모님의 품에 안겨
울었던 기억이 난다.

그런데 요즘은 다르다.
넘어지더라도 툭툭 털고 일어나며,
주변에 있는 부모님들도 아무렇지 않은 듯이 행동한다.
넘어지기라도 하면 큰일이라도 난 것처럼
큰소리로 걱정하던 전과 다르게
요즘은 넘어질 수도 있다며
대수롭지 않게 생각하는 어른들의 태도 때문에
울지 않는 아이가 많아진 거다.

그걸 보며 어쩌면 내가 울었던 많은 순간에

진짜 내 마음에서 우러나오는 슬픔이
아니었을 수도 있겠다는 생각을 했다.
울음이 터졌다기 보다
울어야만 했던 상황이었기 때문에 운 것처럼.

요즘 사람들은 전보다 솔직하게 살아가는 것 같다.
전에는 주위 시선들 때문에 부끄럽고 창피하게 여기던 일들을
더는 숨기지 않고, 사회적인 인식도 조금씩 변해가고 있으니까.

넘어져도 더 이상 울지 않아도 된다.

Just do it

늘 초침 소리에 쫓기며 산다.
하고 싶은 일은 많지만
다 잘할 수 있을 거란 확신은 없다.
그럼 하지 않을 거냐고?
우리가 처음부터 잘했던 것이 있던가.
이제는 그냥 재지 않고 뛰어들기로 했다.
이런 무모한 도전도 얼마 안 가
'괜히 했나?'라는 생각으로 변하겠지만
그건 그때 가서 생각하자고 나 자신을 설득한다.

내가 하고 싶은 말은 청춘을 아끼지 말자는 거다.
칠하고 싶은 색으로 마음껏 칠하고 일을 벌이자.

일주일 뒤에 내가 어떻게 살고 있을지도 모르는데,
내일 당장 위급한 사고가 나서 삶이 끝나버릴지도 모르는데
이건 될 것 같고, 저건 안 될 것 같다는 생각으로
기회들을 버리는 것은 너무 바보 같지 않은가.

'Just do it!'

나이키 광고에 나오는 카피처럼
그냥 하자! 그냥 도전하자!
너무 많은 생각으로 하루하루를 살기 보다
우리의 마음이 이끄는 대로.

가끔은 무모한 도전이 생각지도 못했던
결과를 불러오기도 하니까.

지금을 산다

우리의 인생은 잘 흘러가는 것 같아도
한 번의 실수로 넘어져 다치기도 하고
매번 넘어지다가도 단숨에 벌떡 일어나
힘차게 달려가기도 한다.
한 치 앞도 알 수 없어서 황홀한 게 인생이라지만
가끔은 어떤 일이 일어날지 몰라서 두렵기도 하다.

최근에 중학교 때 짝꿍이었던 친구의 안 좋은 소식을 들었다.
참 맑고 착했으며 공부와 운동 모두 잘했던,
'명랑'이라는 말과 참 닮았던 친구였는데,
다시는 볼 수 없다는 사실이 믿기지 않았다.
오늘 웃으며 헤어진 사람을
내일 볼 수 없을 수도 있다는 사실이 무서웠다.

우리는 인생의 불확실함을 인지하고 살면서도
내게는 불행이 닥치지 않을 거라
혹은 그럴 확률은 상당히 낮을 거라 생각한다.

그래서 오늘의 행복을 내일로 미루기 바쁘고
더 크고 근사한 행복을 기다리며 긴 시간을 참는다.
시간은 영원하지 않으며,
무슨 일이 일어날지 모르는 세상인데
당장 내가 먹고 싶은 것, 하고 싶은 것을 왜 참아야 하는 걸까.
더 큰 행복을 바라다가 아주 작은 행복도 느끼지 못한 채
삶이 끝나버릴 수도 있을 텐데 왜 미루는 걸까.

소중한 것을 일찍 잃어버린 사람들은 안다.
그 어떤 것도 미뤄서는 안 된다는 것을.
사소한 감정들, 꿈꿔온 작은 목표, 버킷리스트 같은 것들이
물거품이 되어 사라지기 전에 할 수 있을 때 해야 한다는 것.

너무 많은 것들을 미래에 둔 채로 살지 말자.
그냥 지금 이 시간을 즐기고, 이 순간에 살자.
인생의 마지막 페이지는 언제 펼쳐질지 모르는 법이니까.

삶의 질을 높이는 오늘

우연히 인터넷에서 삶의 질을 높여준다는
물건의 리스트를 보게 되었다.

◦ 에어프라이어
◦ 에어팟
◦ 건조기
◦ 좋은 매트리스와 베개
◦ 캔들

이외에도 수많은 것들이 있었지만
일단 몇 개의 물건만 구매해봤다.
'이런 물건들이 내 삶의 질을 높여준다고?'
약간의 불신을 품고 한 달 정도 사용해 보았는데
이제는 그 물건들이 없으면 불편할 정도로
삶의 질이 높아지게 되었다.

나열한 물건들의 공통점은 이렇다.

시간을 단축해 주고, 편하게 만들어주고,
기분 좋게 만들어준다는 것.

에어프라이어가 있으면 더는 만두를 구울 때
요리조리 뒤집어가며 신경 쓰지 않아도 되고
에어팟이 있으면 걸리적거리던 선들이 없으니
움직임이 더 자유로워지고
건조기가 있으면 건조대에 빨래를 너는 과정이 사라지게 되고
1시간이면 완벽하게 건조된 깨끗한 옷을 입을 수 있으니
예전과는 다르게 삶이 윤택해지는 것이다.

우리는 살면서 알게 모르게 불편함을 방치하곤 한다.
미래를 위해 현재의 내가 불행해도
괜찮다는 식으로 나를 소홀히 여긴다.
하지만 당장 오늘 하루를 정성껏 보내려고 노력하는 것이
우리의 삶에 꽤 괜찮은 투자가 될 것이다.

삶의 질이 높아진다는 것은
나의 하루에 애정이 생기고 내일이 기다려지게 되니까
전반적인 내 삶이 건강하게 흘러가는 길인 셈이다.

그러니 우선 지금의 내가 행복할 수 있도록

삶의 방향을 조금 다르게 바꿔보는 것은 어떨까?
미래의 내가 행복할 가능성을 믿는 것보다
지금의 내가 행복하기 위해 하루하루 멋지게 살아낸다면
미래의 내가 행복한 것은 더 이상 가능성의 문제가 아니라
자연스레 따라오는 것일 테니까.

지금의 내 행복이 먼저가 되어야 한다.

덤덤하게 산다

우리는 지나치게 자주 흔들리며 산다.
목표를 세워놓고 열심히 노력하고 있을 때
어디선가 불어오는 바람에 휩쓸리기도 하고,
예측되지 않은 불행을 발견하게 되는 날에는
목표도 잊은 채 괴로워하기도 한다.

우리는 삶에서 마주치는 불행을
조금은 덤덤한 태도로 맞이할 필요가 있다.
내가 유난을 떨며 괴로워할수록
사소한 바람에 지나지 않던 불행은
어느새 태풍처럼 자라나기도 한다.

사람은 살면서 누구나 시련을 겪는다.
각자의 방법으로 해결하곤 하지만
괜찮은 방법 중 하나는
그냥 흘러가는 대로 가만히 두는 것이다.
물에 빠질 것 같다고 해서

허우적대거나 몸에 힘을 줄수록
더 쉽게 가라앉는 것처럼
우리는 힘 빼는 연습을 해야 한다.

그러면 자연스레 떠오를 것이다.
곧 평온한 상태가 될 것이다.
그러니 살면서 마주하는
사소한 바람에 휩쓸리지 않았으면 좋겠다.
하나하나 신경 쓰며 괴로워하지 않았으면 좋겠다.
덤덤한 태도로 살아가는 것은 생각보다 큰 도움이 된다.

몸에 힘을 뺄수록 쉽게 떠오른다는 것을 기억하자.
마음에 힘을 뺀다면 어떤 불행에도 가라앉지 않을 것이다.

새해

예전에는 해가 바뀌는 것에 많은 의미 부여를 하며
소란스러운 연말을 보냈다.
한 해가 가고 새로운 해가 오는 것이
마치 어릴 적 스케치북을 넘기는 것과 같다고
생각했는지도 모른다.
잔뜩 낙서가 되어 있는 페이지를 넘기면
깨끗한 여백이 나타나는 것처럼
내게 완전히 새로운 1년이 다가올 거라고 기대한 거다.

하지만 이제는 한 해의 마지막,
그리고 또 새로운 해의 시작에
많은 의미 부여를 하지 않기로 했다.
해가 바뀐다는 이유로 평소에는
하지도 않던 일들을 잔뜩 계획해서
내 자신에게 부담을 주는 것도 멈추기로 했다.
그럼에도 불구하고 의미 부여를 하고 싶다면
의무감에 해야 할 것들이 아닌

정말 내 마음이 이끌리는 것들,

내가 진정으로 하고 싶었던 것들을 계획하겠다고.

아이스크림 한 통 혼자 퍼 먹기,

하루에 영화 4편 연달아 보기, 스키장 가보기….

내 삶에서 정말 필요한 것은 나를 행복하게 만드는 일들을

곁에 두고 하나씩 이루는 것일지도 모르니까.

행복한 하루가 모이면 행복한 일주일이 되고

그 많은 날이 쌓여 내 삶이 되는 것처럼

우리에게 우선이 되어야 할 것은

다가올 새해를 기대하는 게 아니라

오늘을 무사히 잘 보내는 것이다.

멋진 나이

2019년 기해년 새해를 맞은 지금
나는 반오십, 스물다섯 살의 나이가 되었다.

우리나라 사람들은 유독 나이에 집착하는 것 같다.
반오십이라는 말부터 계란 한 판이라는 말로
자신을 늙은 사람 취급하고
청춘은 더 이상 자기 얘기가 아니라며
열정적인 모습을 감춘다.

하지만 청춘이 꼭 어느 나이에 국한되어 있는 것일까?
나는 청춘이 나이가 아닌
마음에 따라서 정해지는 거라고 생각한다.

내 나이가 계란 한 판의 나이를 훌쩍 뛰어넘었어도
나태하고 무기력하게 하루를 보내지 않고
취미 생활에 몰두하고 무언가에 열중할 줄 안다면
청춘을 살고 있는 것이고

자신에게 유익한 시간이 아니라
매일 별다른 의미 없이 허송세월을 보낸다면
꽃다운 스무 살이라 해도
청춘이라고 부르기 어려운 것이다.

나이가 많아졌다는 이유로 주눅 들거나
새로운 것들에 도전하는 마음을 멈추게 된다면
그 또한 청춘의 삶을 포기하는 것과 다를 바 없는 것이다.
신체적인 것은 점점 나이가 들수록 늙어가겠지만
마음은 내가 생각하는 것에 따라서 달라진다.

지금의 내가 바로 청춘이라는 마음으로
하루하루를 살아간다면
청춘의 삶은 여전히 유효하다.

한치 앞을 예측할 수 없는 인생

오래전에 쓰다 만 문장도
기어코 완성하는 날이 오고
가까웠던 관계도 한순간의 실수로
아득히 멀어지기도 한다.
인생은 그렇게 한 치 앞을 예측할 수 없다.
완성된 문장 뒤에도 얼마든지
다른 내용이 이어질 수 있다.

한때는 다가오는 미래가 두려워서 자주 숨어버렸다.
어떤 일이 일어날지 예측할 수 없고
시간이 흐른 뒤에 내가 웃고 있을지,
세상이 끝난 것처럼 울고 있지는 않을지,
지나치게 미래에 대해 걱정하고 불안해했던 것 같다.

하지만 이제 그런 불확실함은
어쩔 수 없는 것이라 생각하고
그만 놓아주기로 했다.

지금껏 내 마음대로 인생이 흘러온 것도 아닌데
내가 걱정한다고 좋은 날들만 있을 거라는 보장도 없으니까.

과거와 미래는 바꿀 수 없고
나를 힘들게 하는 일들은
어떤 식으로든 찾아오게 될 테니
나는 그저 내 자신을 바꾸는 걸 택했다.
미래는 바꾸지 못해도
내 모습은 내 마음대로 바꿀 수 있으니.
아무리 큰 파도가 와도 헤엄쳐 빠져나올 수 있는
강인한 마음을 가질 수 있다는 걸 잊지 않으면 된다.

나, 그리고 모두에게 하고 싶은 말

타인의 기대에 맞춰 내 삶을 억지로 바꾸지 않을 것.

나를 향한 칭찬에 우쭐대지도 않을 것.

열심히 하고 있음에도 성과가 좋지 않을 때는

부담을 내려놓고 차근히 걸어갈 것.

삶의 목표가 무엇인지 늘 생각하고 꿈꿀 것.

나태한 삶에 중독되지 않도록

늘 뜨거운 다짐을 품은 채 살아갈 것.

후회 없이 좋아하는 것에 몰두할 것.

과거를 기억할 것

그때가 좋았다는 말들로 과거를 말할 때가 있다.
'고등학교 3학년, 참 힘들었어도 그때가 좋았지.'
'돈 없어서 힘들던 때, 부유하지는 않았지만
별거 아닌 것으로도 웃었던 그때가 좋았지.'

한때 최악의 연애였다고 혀를 내두르던 첫사랑을
다시금 떠올리며 그래도 좋은 사람이었다고 포장하고
흐릿해진 기억에 이런저런 살들을 붙여 합리화한다.
실은 죽도록 그 순간을 미워하고 도망치고 싶었으면서도.
다시는 이런 사람 만나지 않을 거라 다짐했으면서도.

우리는 과거가 남기고 떠난 기억들을
마음대로 조리하지 않고 온전히 남겨둘 줄도 알아야 한다.
영화 〈어린 왕자〉에서 이런 대사가 나온다.

「어른이 되는 건 문제가 아니야.
어린 시절을 잊는 게 문제지….」

나는 우리의 삶이
카세트테이프와 닮아있다고 생각했다.
끊임없이 기억 위에
새로운 기억을 덮어쓰면서 살아가기 때문에.

하지만 그렇다고 해서 과거의 기억을 잊어서는 안 된다.
그때 느꼈던 것들을 잊어버리게 된다면,
어쩌면 우리는 똑같은 양의 고통을
다시 느껴야 하는지도 모른다.
내가 걸어왔던 길, 내가 느꼈던 감정들.
그 순간 열심히 흔들리며
얻었던 기억들을 잊지 말고 기억하자.

지금의 내가 흔들릴 때,
과거의 나를 보며 정답을 찾을 수도 있는 법이니까.

저항을 이겨내는 삶

살다 보면 무언가를 하고 싶은데
누군가 나를 막아서는 것을 경험한 적이 있을 겁니다.
꿈을 향해 달려가고 싶은데
주변의 만류로 걸음을 멈춘 적도 있을 것이고
누군가를 사랑하게 됐는데 부모님의 반대로 인해서
포기해야만 했던 안타까운 순간도 있겠죠.

어떤 이야기가 돈이 되는지 분석한 책에서
사람들이 가장 열광하는 이야기의 패턴이
주인공이 고난과 역경을 딛고 일어서서
힘겹게 이겨내는 이야기라고 하더군요.
우리의 삶이 고되기 때문에 힘겨워하는 주인공에
이입하게 되고 마침내 이겨내는 결말을 통해
대리만족을 느끼는 것일지도 모른다고요.

살아가면서 절대로 저항을 피해 갈 수는 없습니다.
이 세상에는 반드시 나와 다른 생각을

가진 사람이 있기 마련이니까요.
친구들과 먹을 점심 메뉴를 고르는 과정에서도
수많은 의견이 충돌하는 것처럼요.

그러니 우리가 해야 할 것은 바람이 지나갈 때까지
벽 뒤에 숨어서 지내는 일이 아니라
바람이 부는 것은 어쩔 수 없는 일이라는 것을 깨닫고
바람을 거슬러 날아오르는 연습을 하는 것일지도 모릅니다.
누군가와 충돌하는 일은 여간 힘든 일이 아니지만
그럴 때일수록 우리는 굳은 마음을 품고
당당히 맞서야 합니다.
뒤로 떠밀려 나가거나, 무작정 피하기만 한다면
그건 아무런 의미 없는 삶으로 가는 길이 될 테니까요.

우리의 행복이 있는 곳을
다른 사람들이 아무리 반대하고, 길을 막아선다고 해서
불행을 손에 쥐고 행복을 포기하고 돌아서는 일은
절대로 일어나지 않을 수 있도록.
반대를 너무 두려워하지 않았으면 좋겠습니다.
내가 옳다고 생각하는 길이라면
그 어떤 반대도 스쳐 지나가는 바람에 불과한 것입니다.

긍정의 힘

우리가 사는 세상에서 언젠가부터
'긍정'이라는 단어가 설 곳이 사라졌다.
요즘 사람들은 긍정적인 것보다
현실적인 것을 더 사랑하는 것 같다.

긍정적인 사람과 부정적인 사람에게
똑같은 시련을 준다고 하면
긍정적인 사람은 상황을 인지하고 해결책을 찾는 반면,
부정적인 사람은 그 상황에서 도피하려 한다.
둘에게 존재하는 결정적인 차이는
인정할 줄 아는 능력의 차이인 것이다.

긍정적인 사람은 자신에게 일어난
안 좋은 상황을 굳이 부정하지 않는다.
넘어지면 넘어졌다는 것을 인정하고
다시 몸을 일으켜 세우고,
열심히 세운 도미노를 실수로 넘어뜨리면

실수를 되돌릴 수 없다는 것을 인정하면서
쓰러지는 도미노를 보며 즐거워하거나
다시 처음부터 세운다.
그래서 나는 긍정을 좋아한다.
삶에서 일어날 수 있는 작고 사소한 불행들을 부정해봤자
괴로운 건 나 자신이기 때문이다.

그러나 우리는 긍정의 쓰임에 대해서 제대로 알아야 한다.
상황이 계속해서 악화되고 있는데
현실적으로 바라보지 못한 채
그저 잘 될 거라는 생각으로
손을 놓는다고 해서 더 나아지는 것은 아니다.

긍정적인 생각이 문제를 해결한다기보다는
넘어지고 쓰러지는 순간에 나에게 찾아와
일어설 수 있게 도와주는 역할을 해줄 뿐이니까.
자신의 삶을 바꾸려는 노력 없이
괜찮아지기를 기다리는 것은 어리석은 일이다.
다만 내가 다시 일어설 마음을 품는다면
그 마음이 바람이 되어 내 등을 밀어줄 것이다.

3월

열두 달 중에서 유난히 3월을 싫어했다.
한국의 1년 시작은 사실상 3월이기 때문이다.

5학년에서 6학년이 되고 중학생에서 고등학생이 되는
첫 관문은 언제나 3월이었고
해마다 작년과 달라진 게 없는 것 같은 내 모습이 싫었다.
새로운 학년으로 올라가면 친했던 친구들과 다른 반이 되고
또다시 어색한 사이를 견디며 친구를 사귀어야 한다는 것도
3월을 싫어하게 된 또 다른 이유가 되기도 했다.

그러던 어느 날,
'내가 왜 이렇게 괴로워하는 걸까?'
'3월이 와도 더는 괴롭지 않을 방법이 없을까?'
고민을 하다가 괴로움의 진짜 원인을 찾게 되었다.
시간이 쌓여갈수록 더 뛰어난 사람이 되어야 하고,
작년보다 반드시 발전해야 한다는
나의 강박 때문이었음을 비로소 깨닫게 됐다.

사람들은 발전하는 것이 당연하다고 생각한다.
작년보다는 올해에 더 행복하기를 바라고
작년보다는 올해 키가 더 크기를 바라고
저번에 본 시험보다 좋은 성적을 얻기를 바란다.
결국엔 동기부여가 되는 길일 수도 있지만
오히려 발전이라는 강박에 갇혀
자신을 괴롭게 하는 독이 되기도 한다.

성장도 좋고 성숙해지는 것도 좋고
시간이 지날수록 내가 가진 능력들이
업그레이드되는 것도 좋겠지만
작년과 같은 곳에 올해도 서 있다고 해서
너무 초조해하지 말고
때론 머물러 있는 것도 대단한 것이라고
말해줄 수 있는 사람이 되기를 바란다.

더 큰 행복을 좇으며 지금 내가 느끼는 행복을
하찮게 여기지 않을 수 있도록.
작년과 달라진 것이 없다고 하더라도
그리 심각한 일은 아니라는 걸 알았으면 한다.

때론 꾸준한 것, 지금 나의 행복을 유지하는 것이
내 삶에 더 필요할 때가 있다.
욕심 때문에 부디 스스로 다그치지 않기를.

더 나은 사람이 되기 위해
구태여 지금의 나를 미워할 필요 없다.

순간을 소중히 대할 것

시간은 너무나 빠르게 지나간다.
한때 열병처럼 앓았던 사랑도,
스무 살이 되어 미칠 듯 좋았던 감정도
어느새 정신 차려보니 아득히 먼 과거가 되었다.
소중한 것들은 언제나 곁에 있지만
정작 우리는 모른 채 지나갈 때가 많다.
그건 매일 보는 집 앞 골목의 풍경이라든지
출근길의 번잡함과도 같은 너무나 당연한 것들이라서
특별하다고 생각하지 않는 거다.

하지만 잊지 않았으면 한다.
소중한 것들은 특별하고 화려한 것이 아니라는 것을.

아무런 조건도, 이유도 없이 나를 사랑하고 아껴주는
부모님의 조용한 마음처럼 너무나 익숙한 것들,
사는 게 지칠 때 기댈 수 있는 친구의 품이나
마음이 허한 날 맘 편히 통화할 수 있는 관계,

그다지 멋지고 화려하지 않게
흘러가는 1분 1초, 나의 하루, 나의 삶….

순간의 소중함을 잊지 않기 위해 우리는 애써야 한다.
매 순간순간을 소중히 여기며 하루를 살아가는 것은
긴 시간이 지나고 뒤를 돌아보았을 때
괜찮게 살아왔구나, 하고 끄덕일 수 있는
유일한 방법인지도 모르니까.

그러니 시간이 아무리 빠르게 흘러간다고 해도
지금 내가 살고 있는 현재의 시간이 힘겹다고 해도
순간을 소홀히 대하는 일은 없어야 한다.
살아간다는 것은 나만의 영화 한 편을 만드는 것과도 같아서
한 장면, 한 장면에 최선을 다하지 않으면
결점 가득한 영화밖에 만들지 못할 테니까.

우리의 마음속에 오래 남아있는 좋은 영화처럼
내 삶이 좋은 방향으로 흘러가기를 원한다면
우선 순간을 소중히 대하는 것부터 시작하면 된다.
멋진 결말이 당신을 기다리고 있다.

시작은 한 걸음부터

다이어트를 위해 헬스장에 간 적이 있다.
헬스를 시작하기 전까지
헬스장은 그저 무거운 기구를 드는 곳이고,
처음부터 힘든 운동을 하는 줄 알았다.

하지만 그건 나의 오해였다.
평소 10킬로그램인 아령은
가볍게 들 수 있다고 자부했었는데
정작 트레이너가 내게 쥐어준 것은
3킬로그램쯤 되는 아령이었다.

정말로 가벼웠던 것은 아령이 아니라
나의 안일한 생각이었다.
가벼운 것도 반복적으로 들게 되면 힘든 줄도 모르고,
내게 맞는 무게는 내가 최고로
들어 올릴 수 있는 무게라고 생각했으니까.

사람들은 기초를 다지는 것이
얼마나 중요한 것인지 잘 모른다.
운동하기 전 몸을 푸는 것이 별것 아닌 것 같아도
한껏 긴장된 몸을 진정시켜주고
부상을 막아주기도 하는 필수적인 단계인데도
재미가 없다는 이유로, 자만심을 가지고
간과하는 사람들이 있다.

모든 것에는 기초가 있다.
공부도 기초가 탄탄해야 심화 과정을 이해할 수 있다.
축구에서도 처음부터 골을 넣기 위한
슛을 배우는 것이 아니라
운동장을 뛰어다닐 수 있는 체력과
기초적인 것들을 먼저 배워놓는다.

당신이 무언가를 꿈꾸고 있다면
처음 겪는 것들을 대충 흘려보내지 않기를 바란다.
조금은 지루하고 쉬워 보여도
한 걸음, 한 걸음 걸을 때마다 힘을 다해 내딛기를.
그 걸음이 내 삶에 멋진 흔적을 만들테니까.

기회는 반드시 찾아온다

나는 초등학교 때부터 축구를 좋아했다.
4학년 즈음부터 체육 시간에 친구들과 공을 차다 보니
신나고 가슴이 뛰는 게 제법 재미있게 느껴졌고
점심시간과 방과 후에 다른 반 친구들과 팀을 짜서
축구를 하다 보니 자연스레 친구들을 많이 사귀게 되었기에
내게 좋은 영향을 준 축구를 싫어할 이유가 없었다.

또래 친구들보다 뛰어난 것이 있었다고 한다면
나는 먼 거리에서 슛을 쏴 골을 기록하는 성공률이 높았고,
직접 공을 몰아 골을 기록하는 것보다는
같은 팀 선수에게 패스하는 것을 더 즐겼다.

6학년 때, 축구부 감독님의 눈에 들어
학교 축구부에 들어가게 되었는데
다양한 학교와 경기를 치르며
처음으로 실력의 격차와 경쟁의 무서움을 느꼈다.
내가 정말 축구를 잘한다고 생각했는데,

우리 팀 실력이 강하다고 생각했는데,
어떤 학교는 우리가 손 쓸 수도 없을 만큼
체계적이고 거칠었고 뛰어났다.

그래서 대회가 끝나고 한동안 무기력을 느꼈다.
우물 안 개구리로 살아왔구나 하는 생각과 동시에
'제대로 배우면 나도 잘할 수 있지 않을까?' 하는
생각은 결국 나를 축구 클럽 팀으로 이끌었다.

다양한 학교에 다니는 친구들이 있고
축구를 전문적으로 지도하는 감독님이 있었다.
체계적인 훈련이 있었지만
상상도 하지 못할 피 튀기는 경쟁도 있는 곳,
축구선수를 꿈꾸는 사람들이 있는 곳이었다.

하지만 설레던 마음도 잠시,
클럽 팀에 들어간지 얼마 되지 않아 후회를 하기도 했다.
잘하는 친구들에게 밀려 후보를 전전하기만 했으니….
아무리 노력해도 실력을 따라잡을 수 없을 것만 같고
경쟁 속에서 살아남는 것이 피 말리는 일이 된 나는
축구선수의 꿈을 접어야겠다고 결심했다.
이건 어쩌면 내가 가야 할 길이 아니었다고

합리화하며 말이다.

그런데 그때 땅끝 해남마을에서 열리는 MBC 축구대회에
우리 팀이 참가한다는 소식을 들었고
내게 기회가 주어지지 않을 거라 확신했지만

한편으로는 전국의 축구팀들이 모이는 대회에 참가하게 되면
꿈의 근처라도 가본 것이니 다행이라고
생각할 수 있지 않을까 했다.
그래서 정말 마지막이라는 심정으로
그 대회까지만 버텨봐야겠다고,
대신 대회가 끝나면 바로 그만둬야겠다고 결심을 했다.
그래서 훈련을 할 때도 그다지 열을 내지 않았다.
내가 뛰는 포지션에는 나보다 훨씬 뛰어난 친구가 있었고
그 자리를 꿰찬다는 것은 가능성이 희박한 일임을
그동안의 시간 동안에 뼈저리게 느꼈기 때문에
설렁설렁 뛰며 참가했다는 것에만 의미를 두었다.

그런데 예선 경기가 얼마 남지 않았을 무렵
여느 때와 같이 남은 경기의 출전 명단을 보는데
선발 명단에 내 이름이 적혀져 있었다.

경기에서 선발로 출전한다는 것은
그만큼 중요한 역할이 주어진 것이고
누구나 자신을 자랑스럽게 생각하며
마음껏 기뻐해도 모자랄 상황인데

나는 기뻐하기보다는
'왜 하필 지금?'이라는 생각을 먼저 했던 것 같다.
평소에는 기회도 잘 주지 않았으면서
왜 이제야 내게 기회를 주는 것인지
감독님을 조금은 원망하기도 하면서.

시간이 많이 흐른 지금
내 이야기를 통해 분명히 말하고 싶은 것은
살다가 보면 적어도 한 번의 기회가 찾아온다는 것이다.
도통 답이 없는 것 같은 삶의 연속이라고 해도
기회가 찾아오게 되어 있다는 것.
그러니 우리는 기회가 보이지 않는 순간에도
누군가가 인정해주지 않아도 절대로 포기해서는 안 된다는 것.
만약 지레짐작 포기하고 나태하게 된다면
언젠가 소중한 기회가 찾아와도
방황하는 나 자신을 보여줄 수밖에 없을 테니까.

지금도 가끔 그때를 떠올리곤 한다.
누군가가 인정해주지 않는다고 포기하는 것이 아니라
스스로 인정할 수 있을 때까지 힘껏 노력했더라면
내가 선발로 출장하게 된 그 경기에서 좋은 활약을 펼치고
내 삶도 혹여 달라지지 않았을까….

이러한 사실을 알게 되기까지 수많은 일이 있었지만
소중한 기회를 날려버린 것은 나 하나면 충분하니까
부디 가슴에 새겨주었으면 하는 마음 뿐이다.

아쉬운 다짐

그래 아주 가끔 생각나.

지나간 인연보다는
완전하지 못했던 그때의 내가.

걸을 길이 있었는데도
걷지 못했던 그날의 내가.

무언가에 완전히
몰두하지 못했던 과거의 내가.

아쉬움을 조금이라도 덜어내며
사는 건 모두의 꿈이 아닐까.
어떤 순간에든 푹 빠지자.
긴 시간 뒤에 아쉬움으로
추억하지 않을 수 있게.

감정이 요동칠 때

평소에 나는 굉장히 느긋한 성격인데
문제가 닥쳐오면 급한 사람이 된다.
문제를 미루게 되면 점점 더 커질 것만 같아서,
사소한 문제들을 마주할 때면 해결하기 위해 급급했고
그래서 상황이 더 나빠진 경우가 많았다.

예컨대 관계 속에서 화가 치밀어 오르는 순간이 있을 것이다.
상대방이 너무 괘씸해서 혹은 상대방의 태도가
마음에 들지 않아서 이성을 잃고
분노를 표출해버린 적도 있을 것이다.
하지만 다음 날 생각해보면
내가 그렇게까지 화를 낼 필요가 있었나? 하고 곱씹게 된다.
감정이 격해지면 이성을 잃게 되는 경우가 많아
50의 분노도 100의 분노처럼 내뱉게 되기 때문이다.

그 순간의 감정과 하루를 지내보자.
그러다 보면 정말로 마음이 괜찮아지기도 하고,

깊이 생각한 다음 내뱉는 것이기 때문에
내가 느낀 감정을 정확히 전달할 수 있으니.
시간이 마음을 차분히 가라앉힐 수 있도록 도와준다.

살아가면서 우리는 고난과 역경을 반드시 겪게 되는데
그럴 때마다 바로 해결하려고 하지 않았으면 좋겠다.
불안한 마음과 초조한 마음도 들겠지만
며칠 밤, 아니 단 하룻밤만이라도 지내고 나면
분명, 조금 더 합리적이고 현명한 선택을 할 수 있을 것이다.

감정이 요동치는 순간에 무언가를 해결하려고 하면
더욱더 흔들릴 수 있다는 것을 명심하기를.

못하는 게 아니라 안하는 거야

시작하기도 전에 겁이 나서
아무것도 못 하는 내 모습이 바보 같았다.
무언가에 도전할 때는 내가 할 수 있다는 사실보다
'내가 할 수 있을까?' 하는 걱정이 더 크게 느껴진다.
혹여나 잘 안 되면 어쩌나, 실수라도 하면 어쩌나
실패할 가능성을 따지고 부정적으로 생각한다.

사람들에게 물어보면
오히려 고민했던 시간이 아깝다고 말하는 경우가 많지,
시작한 걸 후회하는 경우는 많지 않다.
그러니 하고 싶은데 망설여지는 것이 있다면
일단 시작부터 해보는 게 좋겠다.
실패하더라도 당신을 탓할 사람은 아무도 없으니까.

우리는 모두 조금씩 흔들거리며 걷고 있다.
그렇게 걷다 보면 어느 날,
중심을 잡고 걷는 비결을 알게 된다.

그때 중심을 잡고 나아가면 된다.
세상을 살아가면서 어떤 일을 하든지 고비는 온다.
내가 생각했던 것보다 일이 고되고 계획이 틀어지기도 하지만
그걸 이겨낸다면 비로소 삶의 중심을 잡게 된다.

한 고등학교에서 진행한 강연에서
이런 말을 한 적이 있다.

"제가 이 자리까지 올 수 있었던 것은 정말 운이 좋아서였지만,
운은 시작한 사람에게만 찾아옵니다.
시작하지도 않고 가만히 있는 사람에게는 오지 않아요."

완벽하려고 노력하지 않았으면 좋겠다.
'무작정'이라는 단어에 익숙해졌으면 좋겠다.
당신이 지금 그 자리에 있는 이유는
뛰어나지 않아서가 아니라
단지 시작하지 않았기 때문이니까.

때때로 우리는 너무나 먼 곳을
바라보며 사는 것 같아

지금 내가 어디를 걷고 있는지,
어떻게 살고 있는지 그걸 볼 줄 알아야 하는데
너무나 먼 곳에 시선을 두고 사는 탓에
정작 지금 자신이 가진 현재를 보지 못하고 힘들어하는 거지.

새로운 것에 도전할 때 특히 그런 경우가 많아.
지나치게 큰 목표를 잡고 너무 막연하게 생각하는 거지.
그러다 보면 내가 이뤄내는
아주 작은 것들에 대한 성취감은 전혀 느낄 수가 없는 거야.
내가 꿈꾸는 것과 비교했을 때
내가 지금 이룬 것들은 너무나 보잘것없이 느껴지는 거지.

살아간다는 건 얼마나 길게 사는지가 중요한 게 아닌 것 같아.
얼마나 깊이 있고 알차게 살아왔느냐가 중요한 거지.
지나치게 큰 목표는 허상이야.
꿈을 수치화하는 것도 허상이지.

예를 들면 유튜브 구독자 1천 명 모으기,
인스타그램 팔로워 5천 명 모으기 같은 것들.
그런 것들을 목표로 삼게 되면 분명 허한 순간이 찾아와.
바라던 구독자 1,000명을 가졌는데 콘텐츠는 부실한 사람,
구독자가 200명이 채 되지 않는데 콘텐츠가 탄탄한 사람 중
미래에 웃고 있는 사람은 결국 후자의 사람일 거야.
그 사람은 어떤 사람이 되어야 하는지 스스로 알고 있거든.
어떻게 살아가고 싶은지도 명확하고.

나는 시작하는 모든 이들이
먼 곳을 바라보고 시작하지 않았으면 좋겠어.
차근히 시작하면 되는 거야.
한 걸음을 걷고 나서 다음 걸음을 생각할 것.
그 다음 걸음을 걷고 또 다음 걸음을 위해 발을 뗄 것.

마라톤 선수들이 멀리까지 볼 수 있는 능력이 있어서
그렇게 오래 자신의 레이스를 펼칠 수 있었을까?
누구나 걸음을 멈추지 않으면 완주할 수 있는 게 삶이야.
그걸 부디 명심했으면 좋겠어.

겉으로 보이는 건 정말 부질없다는 걸 알았으면 좋겠어.
정말로 중요한 건 내면의 결이야.

겉으로 보이지 않아도 내 마음이 소중한 것처럼
네 존재는 정말 높은 가치를 지녔다는 거지.
지금 노력하고 있는 것들을
다른 사람이 알아주지 못할 수도 있어.
그들은 겉으로 드러나는 것들을
더 우선으로 생각하고 신경 쓸 수도 있어.

하지만 그렇다고 해서 네 노력이 부질없는 것이 아님을,
너의 걸음이 쓸모없어지는 게 아니라는 것을 기억하길 바라.

네가 이미 이뤄낸 것이 정말로 많아.
다만, 스스로 기억하지 못할 뿐이지.
그러니 지금껏 한 게 없다고 앞으로도 할 수 없다고
단정 짓지도 말고 지레짐작 포기하지도 않기를.
그 누가 정해주지도 않고, 정해져 있는 것이 아닌
너만의 답을 찾을 수 있었으면 좋겠어.
그 답을 찾을 때쯤엔 알게 될 거야.
내가 했던 이 말들의 진짜 의미를.

그때까지 무너지지 않기를.
지금의 걸음에 집중하며 살아가기를.

월터의 상상은 현실이 된다

〈월터의 상상은 현실이 된다〉라는 영화가 있다.
주인공은 16년째 잡지사에서 근무 중인 사진 현상가인데
해본 것도 없고, 여행을 떠나본 적도 없으며
인생에서 특별했던 일이라고는 하나도 찾을 수 없는
지극히 평범하고 단조로운 삶을 사는 인물이다.

그러던 어느 날 잡지에 담길 사진 한 장을 분실하게 되면서
사진을 찾겠다는 집념 하나로
무작정 아이슬란드와 그린란드, 네팔, 중국을 오가며
인생 최초의 모험을 하기 시작한다.

이 영화를 보면서 사람에게는 누구나 한 번쯤 월터처럼
어딘가로 무작정 떠날 수 있는 티켓이 주어지는데
그때 가장 중요한 것은
우리의 마음가짐이 아닐까 하는 생각이 들었다.
내가 영화 속의 월터였다면 사진을 잃어버렸다는 이유로
평생 가본 적이 없던 곳으로 불쑥 떠날 수 있을까.

삶은 선택의 연속이라는 말처럼
우리에게는 늘 무언가를 선택해야만 하는 순간이 찾아온다.
살면서 상상으로만 해왔던 꿈같은 일들이
어느 날 내 삶에 벌어지기도 한다.
하지만 아무리 상상으로 꿈꿔왔던 일이라고 해도
실제로 내가 겪어보겠다는 용기가 없으면
상상을 현실로 바꿀 수 없다.

정말로 중요한 건 우리의 마음가짐과 용기다.
하루하루 살아가는 것도, 아주 사소한 선택조차도
나를 통해 만들어지고 유지된다는 것을
절대로 잊지 않기를 바란다.
그럼 우리도 월터처럼 어딘가로 불쑥 떠날 수 있다.

저마다의 처음을 견디는 일

삶에 익숙해지는 것이 지겨워질 때가 있다.
어른이 되어가는 게 무서운 이유는
더는 새로운 것들에 반응하지 않게 되고
감정이 무뎌지는 것 때문일지도 모른다.

한때 배우는 것에 흥미를 잃었던 적이 있었다.
무언가를 잘하기 위해서는 처음을 견뎌야 하는데
그 과정이 지루하다 보니
시도하기도 전에 흥미를 잃고 포기하곤 했었다.

그때 친구가 고등학교 시절 국어 선생님이
해주셨던 말씀이라며 내게 전해준 말이 있다.

"무언가를 배우는 걸 어려워하지 않았으면 좋겠다.
어렸을 때를 생각해봐라.
처음에 한글을 배울 때 소리 내는 게 재밌어서,
가족들과 얘기할 수 있어서 즐거웠던 그 기분을 떠올려봐라.

거리를 지나갈 때 간판에 써진 글씨들을 보면서
저건 무슨 뜻인지 아빠에게 물어보던 기억과
아빠가 하는 말, 엄마가 하는 말
하나하나 다 따라서 하던 그때를….

너희는 그렇게 자라왔다.
저마다의 처음을 견디면서, 즐기면서.
그러니 무언가를 알아가는 걸 두려워하지 마라."

예전에 나는 새로운 것에 열광할 때가 있었다.
처음 겪는 모든 것들에 설렜고
내가 모르는 것들을 알아가는 것이 좋았지만
어느샌가 그 마음이 식어버렸고 처음을 어려워하기 시작했다.
하지만 친구가 전해준 이 말을 듣고
잃어버린 감정 하나를 되찾은 것 같았다.

이제는 처음 겪는 모든 것들을 두려워하지 않을 것이다.
아는 것들이 많아져서, 까다로워져서,
비록 지루해 보이고 설레는 마음이 줄었다고 해도
처음을 견뎌볼 것이다.
우리는 여태 그렇게 살아왔으니까.

변해간다는 것

종이와 펜만 있으면
무엇이든 써 내려가고 싶어서 설레고
축구공을 들고 텅 빈 운동장에 들어서면
세상을 다 가진 것처럼 공을 몰고 달리던 내가 있었는데,
조금 메마른 듯한 내 삶이, 상황이 씁쓸하게 느껴진다.

언젠가는 지금 남은 열정마저도 마르게 되는 순간이 오겠지.
그때는 무엇을 위해 살게 될까.
달아오를 줄 모르던 사람이 되는 것만큼
무서운 일은 없을 거다.
누군가 툭 건들어도 미동도 없는 무감각한 사람이 되는 것.

누구나 이런 시기를 겪는다.
내가 누군지 묻고 싶어지는 순간.
넌 어디로 가고 싶니, 자신에게 의문을 던지며
한없이 가라앉게 되는 순간을.

그렇게 때로는 길을 잃어 방황할 수도 있겠지만
그 순간을 너무 두려워하지 않았으면 좋겠다.
누구나 겪게 되는 정체기일 뿐이니까.

예전처럼 뜨거운 마음이 없어도,
텅 빈 운동장을 봐도 몸이 움직여지지 않는 게
내가 잘못하고 있기 때문이 아니라고.
뜨겁기만 했던 마음이 성숙해져
그저 바라보는 것으로도
만족할 수 있는 사람이 되었다는 거라고.
살아가는 방식이 조금 달라진 것뿐이라고.

미지근해도 괜찮다.
한때 뜨거웠다는 사실만으로도
우린 충분히 잘 살아온 것이다.
미지근한 삶을 사는 것에 죄책감을 느끼지 마라.

힘 빼는 연습

어쩔 수 없는 것을 인정하는 일.
나는 그게 가장 어려웠다.

아무리 애쓰고 노력해도 달라지지 않고,
누구를 탓할 수도, 책임을 물을 수도 없는 상황에 놓였을 때
그런 현실을 직시하는 것은
나를 무기력으로 끌어들이곤 했다.

삶은 우리의 입맛대로 흘러가지 않는다.
삶이라는 건 뽑기 상자와 같아서
상자 속에서 어떤 것이 나오게 될지,
내가 잡은 무언가가 좋은 것일지 또는 나쁜 것일지,
꺼내보지 않고서는 절대로 알 수가 없는 것.

요즘은 꽤 덤덤하게 살고 있다.
나의 기대처럼 내일이 다가오지 않을 거라는 사실과
내 뜻대로 되는 것은 많지 않다는 것을 알게 된 이후로.

오늘은 언제나 아쉬울 것이며,

내일은 언제나 기다려질 것이며,

어제는 언제나 후회로 남게 될 것을 알기에

그 어떤 어려움이 찾아와도 무너지지 않는다.

혼자 울지도 않으며 제자리를 맴돌지도 않는다.

이 모든 건 어쩔 수 없는 거라 생각하며

그저 가만히 기다린다, 흘러가기를.

살아간다는 것은 어쩔 수 없는 것.

그것을 조금씩 인정해가는 일이니까.

불필요한 걱정을 줄이는 연습

불필요한 걱정으로 시간을 허비하지 않아야겠다고
다짐하게 된 건 해결하지도 못할 문제들을
걱정하는 일이 점점 내게 부담이 되었고
내가 하는 걱정의 상당수가
쓸데없다는 걸 깨달았기 때문이다.

언제부터였을까,
나는 지나치게 걱정하며 살았던 것 같다.
어쩌면 성인이 되고, 앞으로 맞이하게 될 어려움을
내가 해결해야 한다는 생각에 사로잡혀서
걱정이 부지기수로 늘어나게 된 거다.

꿈에 대한 걱정, 살아가는 것에 대한 걱정, 건강에 대한 걱정.
우리가 하는 걱정의 96%는 쓸데없는 걱정이라는데
어쩌면 맞는 말인 것 같다.
걱정은 또 다른 걱정을 낳고
내 삶에 계속해서 악영향을 끼치니까.

물론 사람이라면 누구나 걱정을 할 수밖에 없다.
하루하루 어떤 일이 일어나게 될지도 모르는 세상인데
불안하고 마음이 쓰이는 게 당연하니까.
그중에 해결할 수 없는 걱정이라도 줄여보자는 거다.
일어나지도 않은, 일어날 가능성도 없는 걱정 말이다.
그런 시간을 줄이고 오늘에 집중하는 것만으로도
삶은 눈에 띄게 달라질 것이다.

시도 때도 없이 걱정을 붙들고 사는 사람은
불안한 삶을 살 수밖에 없다.
끝없는 걱정으로 아까운 시간을 낭비하지 말자.
우리에게 필요한 건 걱정보다는
그 어떤 상황이 와도 이겨내겠다는 다짐이다.

삶은 우리가 생각한 대로 흘러가지 않는다.
미리 걱정하며 대처법을 생각한다고 해도
쓸모없어지는 경우가 대부분이다.
그러니 일어나지도 않은 일에
너무 불안에 사로잡히지 않기를 바란다.
그 시간에 내가 가진 현실에 걸음을 옮기고 집중하는 편이
영양가 있는 삶을 만드는 방법일 테니까.

급할수록 돌아가라

급할수록 돌아가라는 말, 누구나 한 번쯤은 들어봤을 거예요.
일전에 대학교에서 강연한 적이 있었어요.
저는 말을 조리 있게 잘 하는 편이 아니라서
생각을 온전히 말로 전달하기 위해서는
약간의 암기가 필요했죠.

그때가 강연을 얼마 해본 적이 없었을 때였으니까,
누군가 앞에 선다는 것 자체가 저에게는 큰 용기였어요.
정말 내성적으로 이 세상을 살아왔는데
수많은 사람 앞에서 내 생각을 전한다는 거.
그거 절대로 쉬운 일이 아니더라고요.

하지만 제가 가진 생각과 가치관을
궁금해 하는 사람들이 있었기에
또 같은 청춘을 사는 사람들에게 좋은 말을 해주고 싶었고
조금의 응원이라도 되었으면 하는 마음에 열심히 준비했죠.
처음에 시작할 때는 이런 말로 시작해서

이렇게 저렇게 진행하고 마무리는 깔끔하게 해야겠다.
머릿속으로 완전히 길을 다 정해놨어요.
말을 하면서 생각을 하는 건 어려울 것 같아서요.

대망의 강연 날이 찾아왔어요.
떨리는 마음을 안고 무대에 섰죠.
시작도 좋았어요.
말이 술술 나오고 스스로 긴장을
별로 하지 않았다는 게 느껴져요.
그런데 웬걸 갑자기 머릿속이 하얘졌네요.
이따가 할 얘기를 지금 해버리고
아까 해야 했을 얘기를 지금 하고 있어요.

보통의 경우 그 순간 패닉에 빠졌을 거예요.
수많은 사람의 시선이 갑자기 따가워지기 시작하고
생각이 꼬여버려서 어떤 말을 내뱉어야 할지
또 내뱉으려고 해도 엉켜서 잘 나오지 않을 테니까요.

상상도 하기 싫은 일이 실제로 눈앞에 펼쳐지니까
등 뒤로 식은땀이 주르륵 흐르는 게 느껴져요.
사람이 긴장하면 정말 이렇게 되는구나.
'어떡하지? 나는 망했다.'라는 생각이 마구 퍼져요.

정말 웃긴 건 이 모든 생각을
불과 10초 정도 되는 시간 동안 했다는 거예요.
사람이 죽는 순간에 자신의 과거가
파노라마처럼 스쳐 지나간다는 말이 거짓이 아님을 깨달았죠.
저는 그때까지 제가 그렇게 생각을
빨리하는 사람인 줄 몰랐으니까요.

그렇게 길을 잃은 것 같고 망했다는 생각이 들 때쯤
갑자기 '급할수록 돌아가라.'라는 말이
머릿속을 쾅쾅 두드렸어요.
그리고 그 말의 진짜 뜻까지도 알게 됐죠.
어쩌면 그 순간 제가 침묵으로 일관하거나
아무런 말이나 하면서 넘어가려고 애썼다면
상황은 걷잡을 수 없이 나빠졌을 거예요.

그런데 저는 "아이고 까먹었다."라는 말을 내뱉었어요.
누구보다 제 생각을 궁금해 하고
제가 하는 말에 집중하는 사람들.
그 사람들에게 제가 처한 상황을
숨기지 않고 당당히 알린 거죠.
사람은 하나둘 웃음이 터졌고,
굳어버린 몸도 조금은 풀어졌어요.

급할수록 돌아가라는 말은

어쩌면 현실에서 도망가라는 것이 아니라

현실을 인정하는 것부터 시작하라는 말인지도 몰라요.

길을 잃었을 때 "어떡하지! 어떡하지!"라고 소리치며

불안하고 초조한 모습에 빠지는 것이 아니라

길을 잃었다는 사실을 스스로 인정하는 것.

그것만으로도 생각과 마음은 차분해지고

그에 대한 해결책을 생각할 수 있는 여유가 생기거든요.

인생을 살면서 너무 서두르지 않았으면 좋겠어요.

우리나라는 너무 '빨리, 빨리'를 강조하느라

많은 사람이 무엇이든 빨리해야 한다는 강박을 앓곤 하는데

그런 태도로 삶을 살아가다 보면

놓치는 것들이 너무나 많을 거예요.

이 세상의 아름다움은 결코 빠른 속도로는 마주할 수 없거든요.

마음이 무거워지고 사는 게 힘들어지면

그 순간에서 얼른 탈출하고 싶은 마음을 잘 알지만

너무 급히 도망가는 일은 없기를 바라요.

정말 긴박하고 어려운 상황 속에 있을 때일수록

내가 처한 상황을 인정할 줄 아는 사람이 되기를 바라요.

잠시 돌아간다고 해서 길이 끊어지는 게 아니고

오히려 그 길이 힘든 순간에서 더 빨리 탈출할 수 있는
지름길인 경우가 많으니까요.

어떻게든 이어질 당신의 길을 응원할게요.
어떤 상황에서도 차분히 이겨낼 수 있기를,
도피하는 사람이 아닌 인정할 줄 아는 사람이 되기를요.

외롭고 힘든 여정

묵묵히 자신의 길을 걷는 것은 참으로 외롭고 힘든 여정이다.
아무것도 없는 상태에서 무언가를 만들어내는 것.
아무것도 알지 못하는 상태에서
무언가를 배우기 시작하는 것.
그 시작은 한 치 앞이 보이지 않는
안개 속에 있는 것처럼 답답한 게 당연하다.

길 위에서는 기댈 곳이 마땅치 않을 것이다.
한 걸음 한 걸음 떼는 것만으로도 부쩍 지칠 테고
길고 긴 방황을 피할 방법 또한 찾기 어려울 것이다.
그 길에서 우리에게 필요한 건 꿋꿋함이다.
누군가 나를 밀어도 밀려나지 않고
꿈꾸는 것을 절대로 놓치지 않는 꿋꿋함.

어떤 응원소리도 들리지 않을 수 있다.
매 순간 시련과 고난을 겪어야 할 수도 있다.
하지만 그 순간들을 견디고 깨부수는 순간

우린 진정한 가치를 찾아낼 수 있다.

홀로 걸어가는 길에서 주변을 너무 신경 쓰지 않기를 바란다.
어차피 제일 중요한 건 내가 나를 저버리지 않는 것,
내가 선택한 길에서 돌아서지 않는 것,
어떤 걸음이든지 결국 멈추지 않는 것,
잠시 머뭇거릴지라도 뒤돌아서지 않는 것이다.

어떻게든 한걸음 더 떼려고 노력하는
당신의 여정을 힘차게 응원하고 싶다.
그 길의 끝에는 당신의 웃음이 있기를.
잘 버텨왔다고 스스로 다독이는 순간이 있기를.

나는 믿는다.
나를 믿는다.
조금씩 나아가면 된다.

인생이라는 나비효과

나비의 작은 날갯짓이
거대한 폭풍우를 몰고 올 수도 있는 것처럼
인생은 어쩌면 나비효과의 연속인지도 모른다.

우리의 삶은 단편적인 장면들
여러 개가 모여 있는 것 같겠지만
실은 하나하나 긴밀하게 선처럼 이어져 있다.

인간관계에서 내가 내뱉은 한마디로 인해
한순간 관계가 틀어질 수도 있는 것처럼
꿈을 향해 걸어가는 한 걸음,
평소에 내뱉는 한마디가
정말 큰 영향력을 가지고 있다는 것이다.

우리는 종종 큰 목표에 지나치게 신경 쓰느라
작은 순간들을 소홀히 보내는 경우가 많다.

산 정상에 오르기 위해서 우리에게 필요한 것은

강인한 체력도, 좋은 신체 조건도 아닌

그저 한 걸음을 꾸준히 내딛을 수 있는 마음인 것처럼

하루하루 차근히 달려가는 자신의 모습이

조금은 지겹게 느껴질 때면

그 순간들이 모여 나의 미래가 된다는 것을 기억하자.

대충 내뱉는 말과 나태한 태도로는

관계를 지킬 수 없고 꿈을 이룰 수 없다.

앞으로는 작은 순간에서도

깊이 있게 살아가야겠다고 다짐한다.

잘 살아왔다

책을 거꾸로 읽는 습관이 있다.
결말을 미리 알아버리면 시시하지 않냐고?
가끔은 끝을 알고서도 멈춰지지 않는 걸음이 있다.

우리는 태어나 삶을 선물 받게 되고
마지막 즈음엔 세상에 나를 두고 떠난다.
탄생과 죽음, 그 사이에 서 있는 우리가
죽을 것이 두려워 사는 일을 멈춘 적이 있던가.
삶의 첫 페이지를 열었으면 우리가 해야 할 것은
그 속에 나를 적어 내려가는 일.
끊임없이 나 자신을 묻고 알아가는 일.
하루 10분이라도 내가 좋아하는 일에 시간을 쏟는 일.
사랑에 실패한 순간, 울어도 보고
평생 곁에 머물고 싶은 친구와 술 한 잔 나누는 일.

어쩌면 삶이라는 것은 처음에서 마지막으로
다시 마지막에서 처음으로 돌아가는 일일지도 모른다.

그러니 「나는 … .」이 사이 공백을 메우기 위해
잘 살았다는 말을 끼워 넣기 위해 오늘도 열렬히 살자.
마지막 페이지에 서서 삶을 거꾸로 읽을 때
시시하지 않은 삶이었다고 말할 수 있도록.

성공의 정의에 관하여

사람은 누구나 성공을 하기를 원합니다.
성공의 정의는 저마다 다르겠지만
어쨌거나 성공은 우리에게 명예 혹은 부,
행복 같은 것들을 안겨주니까요.

저는 어렸을 때 대학에 가게 되면
성공한 인생이라고 생각했습니다.
학교에서나, 학원에서 우리가 공부하는 이유는
대학을 가기 위함이었고 대학에 가게 되면
좋은 회사에서 일할 수 있다고 배웠기 때문이죠.
그래서 한동안은 대학이
내 삶의 목표라고 생각하며 지냈습니다.
주변에서 내게 주입한 '가짜 꿈'이었다는 것도 모른 채요.

이건 제 생각일 뿐입니다만
대학이 삶에서 꼭 필요한 것이 아니라고 생각합니다.
대학을 두 번이나 가봤지만

현재 제가 하는 일과는 전혀 관련이 없는데다가
주변의 친구들만 봐도 전공과 전혀 다른 일을 하는
친구들이 더 많기 때문이죠.
다른 사람은 동의하지 않을 수 있어도
적어도 저는 그렇게 생각합니다.
대학이 없어도 반드시 성공에 가까워질 수 있다고 믿기에
대학을 위해서 쏟는 시간에
제가 하고 있는 일에 더 집중할 수 있고
다른 방법으로 성공한 삶을 살 수 있는 거죠.

사람들은 부모나, 주변에서 강요하는 꿈들을
자신의 꿈이라 착각하고 시간을 낭비하고 있습니다.
내가 진정 원하는 꿈이 무엇인지도 모른 채
남의 꿈을 이뤄주기 위해 하루하루를 살아가는 거예요.

하지만 비슷한 것 같아도 사람은
모두 다른 삶을 살게 됩니다.
외모가 똑 닮은 쌍둥이마저도
성격이 완전히 같을 수 없는 것처럼
다른 가치관과 생각을 품고
사는 우리는 다를 수밖에 없습니다.

그러니 그저 남들이 말하는 꿈을 따라
흔한 삶을 살아가는 것이 아니라
나 자신에게 질문을 던져보는 것은 어떨까요.
내가 정말로 원하는 꿈이 어떤 것인지.
삶을 어떤 식으로 살아갈 것인지.

남들이 정해주는 기준을
곧이곧대로 믿기보다는 내가 스스로 정하고
성공에 대한 정의도 스스로 정할 수 있기를.
그래야 비로소 진정한 삶을 살아갈 수 있을 테니까요.

청춘은 아무도 답을 모른다

새벽에 문득 깨어나 다시 잠에 들까 하는데
마음이 도통 잠들지 않고
주어진 하루가 왠지 모르게
막막해 어디로 나서야 할지 모르는 것.
청춘은 내게 그런 것이었다.

안개가 자욱한 비탈길을 걷는 것처럼
위태로운 날들의 연속이었다.
나는 청춘을 지나고 있지만 아직도 잘 모른다.
어떻게 하면 청춘을 잘 쓸 수 있을지,
답을 모르는 지금 내 삶이 어디로 흘러가고 있는지.

하지만 언젠가 이런 생각을 하고부터는
청춘이라는 것이 조금은 편하게 느껴진 것 같다.

답이 정해지지 않아 누구도 알 수 없는 것이 청춘이라면
나는 누구도 될 수 있고

그 어떤 답도 도출해낼 수 있는 사람이라는 것.
내가 걷는 비탈길이 실은 꽃밭일 수도 있고,
내게 주어진 하루가 막막한 하루가 아닌
무엇이 나올지 모르는 선물상자처럼
무궁무진한 하루일 수도 있다는 것.

청춘은 아무도 답을 모른다.
그래서 더 헤매고 주눅든 채 살아간다.
하지만 별 볼 일 없는 청춘은 없다.
청춘을 지나는 동안 우리는
무한한 잠재를 품은 존재라는 걸 잊지 않기를 바란다.
우리에게 주어진 지금 이 시간을 더는 낭비하지 말고,
한순간이라도 더 청춘을 느낄 수 있기를.
지금 이 순간이 아니면 느낄 수 없는 것들이 너무나 많다.

3장

완벽하지 않은

나와 당신이지만

다정한 마음

다정한 마음은 언제나 나를 따뜻하게 만든다.
서늘한 밤, 옷은 잘 챙겨 입었냐는 물음과
집으로 돌아가는 길, 혹시나 심심하면
통화하자고 건네는 말 같은 것들.

같은 말을 하더라도 어떤 어투로 말하고
어떤 억양으로 내뱉는지에 따라서
따뜻함을 느끼게 되기도 하고
차가움을 느끼게 되기도 하는데
다정한 물음은 듣는 순간
나를 깊게 생각하는 마음이 느껴진다.

다정한 사람에게 이끌리는 것은
어쩔 수가 없는 일이다.

사랑은 사람을 한 단계,
아니 수없이 성장시키는 것 같아요

누군가를 끝도 없이 믿어보기도 하고,
몇 십 년을 같이 살았던 가족처럼 사소한 습관과
취향까지도 아는 사이가 되기도 하고, 그러다 멀어지고.
사랑이 어긋나기 시작하는 순간부터
우리는 이별을 통해 성장을 하게 되죠.

기억 한 방울 남는 것이 두려워서 거대해진 마음을 쥐어짜며
어떻게든 그 사람에 대한 기억을 덜어내기 위해
애쓰고 또 애씁니다.

내 삶에 자리 잡은 누군가를 억지로 밀어내는 일만큼
잔인하고 아픈 일은 또 없죠.
하지만 이별은 그 모든 것들을 해내야만
괜찮아질 거라고 말해줍니다.
억지로 붙잡아 그런 것들을 겪지 않는다면
애매한 마음이 남아 결국 나를 더 괴롭게 할 테니까요.

성장하고 싶어서 사랑하는 것이 아니라면
지금 내 곁에 있는 사람을 따뜻하게 안아주세요.
행복을 느끼고 싶어서 시작했던 사랑이
성장이라는 마침표로 끝나지 않도록
마음을 항상 가까이 두고 잘하라는 말이에요.

가벼운 사람

사랑은 지쳤고 만남은 지겹다.
언제부턴가 그랬던 것 같다.
나에 대한 특징을 하나하나 나열하는 일.
누군가를 만나고 헤어지고 서로에게 실망하게 되는
과정들에 굉장한 피로를 느꼈다.

'말하지 않아도 내 속을 알아주는 사람은 없을까…'
생각을 하다가 내가 내 속도 제대로 모르는데
남이 알아주기를 원하는 건
지나친 욕심이 아닐까 하는 마음에 생각을 접었다.

가볍게 만날 수 있는 사람이 있었으면 좋겠다.
가벼우니 막대할 수 있고 죄책감 없이 만나는
질 나쁜 가벼움이 아니라
별생각 없이도 만날 수 있는 그런 사람.

유난히 외로움이 깊게 물든 밤이 오면

만나서 맥주라도 한잔할 수 있는,
함께 있으면 자꾸 신경 쓰게 만들고
불편한 치장을 하게 되는 사람 말고
편한 옷차림으로도 서로에게 집중할 수 있는 그런 관계.

나를 자세히 몰라도
내 마음을 완전히 이해하지 않아도 좋으니까.
함께 있어도 주변의 공기가 불편하지 않은
그런 사람이 곁에 있다면
좋은 삶이라 부를 수 있지 않을까 싶다.

우리의 시선

사람을 볼 때 자세히 봐야 할 것은
그 사람이 무슨 차를 타고 다니는지, 어떤 지갑을 들고 다니고
가방의 브랜드가 마르지엘라인지 구찌인지가 아니라
삶을 대하는 태도가 어떤지,
실패를 겪었을 때 쉽게 좌절하지는 않는지,
관계의 문제를 꼬집을 때는 어떤 태도인지다.

가지고 있는 것들을 모두 잃어버려도
눈빛에 힘이 있는 사람인지,
다른 사람들보다 많은 것을 가지고 살아도
불안한 마음을 가지고 초조해하는 사람인지,
어른들에게는 예의가 바른지,
사소한 것 하나로도 웃음 짓는지….

아무리 겉모습이 눈부시다고 해도
마음을 신경 써주지 않는 사람과의 관계는 행복할 수 없으니
사람을 볼 때는 삶을 대하는 태도 같은 것들과

마음의 생김새가 어떤지 살피라는 것.

생각하는 것과 마음가짐에 따라서
달라지는 게 참 많은 것처럼
좋은 사람을 만나면 힘겨운 순간도
웃으며 버틸 수 있고 성장할 수 있게 된다.

작고 예쁜 순간들이 모여
사랑이 된다

사랑은 거창한 것들을 늘어놓는 일이 아니다.
꼭 좋은 곳에서 식사를 해야 하고 예쁘게, 멋지게 보이려고
불편한 치장을 할 필요가 없다.

사랑은 좋은 옷, 비싼 음식, 거창한 선물,
평생 잊히지 않을 기념일을 만들어주기 위해
근사한 곳에 데려가는 것이 아니다.
모든 이들이 정말로 바라는 건
진심으로 생각하는 작고 예쁜 마음.

밥을 먹을 때 긴 머리카락이 음식에 닿을까
불편한 자세로 먹는 것을 기억하고는
주머니에서 주섬주섬 머리끈을 꺼내 건네주는 것.
다리가 아프다고 하니 업어주겠다고 해놓고는
열 걸음도 채 못 가서 내려주는 일.

사랑은 이렇게 작고 예쁜 순간들이 모여

03 완벽하지 않은 나와 당신이어도 좋다

평생 잊히지 않을 장면으로 남는 것 같다.

그러니 대단한 것들을 건네주려고 애쓰지 않아도 된다.

어떤 값비싼 것들도 그런 마음과는 비교할 수 없으니.

영원히 곁에 머무는 사람은 없다

나는 엄청난 단골이라고 말할 만큼
특별히 자주 찾는 가게는 없지만
머리칼을 자르는 일은 한 사람에게 오래 맡기는 편이다.
초등학교 때부터 중학교 때까지 찾았던 미용실의 누나는
결혼을 하고 다른 지역으로 떠나게 되면서 멀어졌고
그 이후론 곳곳을 다니며 내게 맞는 선생님을 찾아다녔다.

그리고 몇 달 전, 마음에 쏙 드는 선생님을 만나게 되었는데
곧 헤어숍을 그만둘지도 모른다는 얘기를 들었다.
내가 잘 알고 있는 사람이 아니면
머리가 우스꽝스럽게 변하겠다는 생각 때문에
전담 선생님이 사라지는 것이 슬프고 막막했다.

영원히 내 곁에 머무는 존재는 없다는 것,
그 사실은 너무나 잘 알고 있고
내게 소중한 사람들이 언제든지
떠나갈 수 있다는 것도 알고 있지만

어쩌면 우리가 가장 두려워하는 것은
소중한 사람이 내 곁을 떠나고 난 뒤
우리가 겪게 될 많은 시행착오가 아닐까.

소중한 반려견을 무지개다리로 배웅해주고
집으로 돌아와 남은 장난감과 물건들을 치우는 일,
사랑하는 부모님이 계시던 방을 정리하다가
자주 입으시던 낡은 티셔츠를 발견하는 일,
액자 속에 있는 사진을 보며 힘껏 울다가
당분간은 보지 않아야겠다며 액자를 뒤집고는
시간이 지난 뒤 사진을 꺼내어 냉장고에 붙이는 일….

이런 시행착오를 겪으며 다시 한 번
내게 있었던 것들이, 내가 가지고 있던 것들이
얼마나 소중한 것이었는지 깨닫게 되니까.
허전함을 다시 한 번 직면하게 되니까.

영원한 것은 없다.
하지만 소중한 사람이 내 곁에서 사라진다고 하더라도
우리는 늘 다른 무언가에게 위로 받고
또 누군가에게 의지하며 살아가게 될 테니
그 사실을 너무 두려워하지 않았으면 좋겠다.

적당한 거리

학창시절 때의 이야기다.

나는 그때 학업보다는 사랑에 더 관심이 많았다.

지금은 스마트폰으로 참 쉽게 카톡을 주고받고

SNS를 통해 모르는 사람과도 쉽게 친해지지만

그 당시 핸드폰에 번호를 저장하고

문자 메시지를 보내거나 전화를 해야만

'소통'이라는 것을 할 수 있었다.

그 당시 문자 메시지는

손글씨로 적은 작은 쪽지를 건네는 것과

맞먹는 정성이 필요했다.

한 달에 보낼 수 있는 횟수가 정해져 있어서

남발할 수 없었기 때문이다. (물론 삭제할 수도 없었다.)

나는 옆 반에 있던 학생과 교제를 했었는데

그때의 나는 질투심이 참 많았다.

수업이 끝난 후, 10분 정도의 쉬는 시간에

그 친구가 내가 아닌 다른 이성과 웃고 떠들면 심술이 났고 나도 옆 반이면 좋겠다는 생각에 우울해하기도 했었다.

돌아보면 나는 사랑을 늘 가까이에 두고 싶어 했던 것 같다.
그래서 보이지 않으면 두려워하고 불안해했고
상대에게 믿음을 갖지 못했다.
사랑이 어딘가로 떠나버린 것도 아닌데
나 혼자 심각한 고민에 빠지고 슬퍼했던 거다.

하지만 이제는 안다.
건강한 관계를 만드는 것은
적당한 거리를 유지하는 것에서부터 시작된다는 것을.
자주 보고 싶어 하고 만나고 싶어 하고
잠깐의 침묵도 견디지 못하는 사랑보다
적당한 거리에 서서 서로를 조금 더 전체적으로 보아주고
가끔은 각자의 시간을 모른 척해주기도 하는
믿음 깊은 사랑이 더 건강한 관계라는 것을.

지금의 우리에게 필요한 것은
거리 두는 일을 겁내지 않는 마음이다.

소중한 사람들을 잃어버리기 전에

안 쓰던 근육을 갑자기 많이 쓰게 되면
그 부위가 한참 동안 뻐근하다.
평소에 정말 자주 쓰던 근육도
시간이 덮이면 예외는 없다.

나는 별다른 취미가 없는 따분한 인간이었다.
사람을 만나는 일은 가족과 친구
그리고 연인을 만나는 게 전부였고
만남이 없는 날에는
대부분 집에 있을 정도로 활동적이지 않았는데
집이 아닌 다른 곳에서 생활하는 시간이 늘어나면서
동네에서 자주 만나던 친구들도
자연스레 만나지 못하게 되었고
가족들에게도 조금 더 소홀해졌다.

시간은 흐르는데 보지 못한 시간이 길어질수록
우리는 타인에게 거리감을 느끼게 된다.

평소에 잘 알던 사람이라고 해도
오랜 시간 뒤에 만나면 왠지 모르게 낯선 것처럼.
시간이 쌓이는 일은 깊어지거나 잊히는 일인 것 같다.

가게를 운영하고 몇 달이 지났을 무렵
컴퓨터가 고장 났다는 엄마의 연락을 받고
오랜만에 엄마를 만나러 갔다.
간단하게 컴퓨터를 고치고 이왕 외출한 김에
집으로 가자는 엄마의 말에
가족과 맛있는 저녁을 먹었는데
엄마는 혼잣말을 내뱉는 것처럼 누나와 내게 말했다.

"나는 생각해보니까 너희랑 노는 게 제일 재밌어.
일 끝나고 집으로 오면 너무 심심하고 따분한데
그래도 너희랑 있는 게 제일 재밌는 것 같아.
별다른 거 하지 않아도 말이야. 엄마는 그래."

순간 나는 애써 외면하던
엄마의 공허함을 제대로 직면하게 됐다.
그리고 안 쓰던 근육을 쓰면
한참 동안 그 부위가 뻐근한 것처럼
엄마에게는 우리가 없는 것이

안 쓰던 근육을 쓰는 일이겠구나 싶었다.
평소에 자주 쓰고 있어서 차마 몰랐던 근육의 존재를
내가 멀리 떨어져 있는 동안 속으로 느끼신 것이다.

우리는 살면서 많은 외로움과 만나게 된다.
일에 빠져서 또 무언가에 몰두하면서
외로움에 자연스레 익숙해지기도 하고 무뎌지기도 한다.
하지만 시간은 영원하지 않고 사람은 언젠가 떠난다는 것.
그 사실은 우리를 종종 슬프게 하고 무너지게 만든다.

그러니 외로움에 시간마저 덮이기 전에
사람을 만나는 일이 안 쓰는 근육이 되어버리기 전에
우리는 근육을 움직여줘야 한다.
이 세상은 나 혼자서는 절대 버틸 수 없는 곳이니까.
소중한 사람들을 잃어버리기 전에 반드시.

어떤 말이든 신중히

나는 속마음을 쉽게 꺼내놓지 않는다.
물론 처음부터 그런 것은 아니었다.
믿음이 가는 사람 몇 명에게는
내가 겪고 있는 상황이나 고민,
혹은 가족사 같은 것들을 꺼내놓으며
동시에 위로를 받기도 했으니까.

하지만 언젠가부터 속마음을 숨기기 시작했는데
정말 어렵게 꺼내놓은 나의 사정을
다른 사람에게 얘기하는 것을 알았을 때.
순간 믿음이 산산조각이 나면서
그 누구에게도 마음을 터놓을 수 없게 되었다.

우리는 종종 너무 많은 말을 하고 산다.
타인에 대해서도 너무나 쉽게 얘기를 하고
아무렇지도 않게 험담을 내뱉으며
누군가의 마음에 뾰족한 칼을 꽂는다.

말은 항상 의도와는 다르게
다른 사람에게 독이 되기도 하고
나에게도 안 좋은 영향을 끼칠 수 있기 때문에
늘 조심스러워야 한다.
나의 행복을 나열하는 일이 누군가에게는
자신의 불행을 더 크게 느끼게 되는 원인이 되기도 하고
누군가를 위로한답시고 가볍게 던지는 말들이 오히려
더 큰 우울로 빠지게 만드는 낭떠러지가 될 수도 있으니.

머릿속에서, 마음속에서
몇 번을 거친 다음 내뱉는 연습을 해보자.
타인에게 상처를 주는 일도 줄어들 것이며
말로 인해서 곤란해지는 상황을 피할 수 있을 테니까.

급브레이크를 밟았을 때

살다 보면 많은 관계 속에서 급브레이크를 밟은 것처럼
급히 멈추게 되는 순간들이 찾아온다.
나는 앞으로 더 나아가고 싶은데
마음이 끼익 소리를 내며 정지하는 순간.
그 순간 우리에게 필요한 건
누가 더 잘못했는지를 따지는 일이 아니라,
서로의 눈을 바라보며 마음을 쓰다듬는 일이 아닐까.

사람은 누군가를 완벽히 이해할 수 없으며 용서할 수도 없다.
그저 마음 한 편에 덜어 놓고 시간을 빌려 잊는 일.
그게 전부다.
당신과 나 한 사람의 잘못으로 인해 멀어진다고 해도
꼭 누가 잘못해서 멀어진 것이 아니라
두 사람 모두에게 책임이 있는 것처럼.

사랑은 그렇다.
갈등이 생기면 완벽히 풀어내는 해답을 찾는 것이 아니라

03 끝나지 않은 나의 여행처럼

차라리 한 발자국 물러나
"네가 좋아하는 카페에 갈래?" 하고 말을 건네는 일.
관계는 당신이 생각하는 것보다 싱겁고 간단할 수도 있다.

뜨거운 물이 들끓는 주전자처럼 열을 내며 싸우다가도
함께 걷는 와중에 풀어진 신발 끈처럼
어느새 마음이 헐렁해지는 게 사랑이니까.

색안경을 벗고서

살다 보면 자신이 가진 기준으로
남을 쉽게 판단하고 재단하는 사람들이 있다.

대학 신입생 시절 같은 학과의 친구가 그랬는데
그 친구는 다른 사람의 옷이나 장신구
집은 어디에 있는지, 차는 무엇인지를 보면서
인간관계를 만들고 정리했고
간혹 그 기준에 미달되는 사람들에게는
조금의 애정도 주지 않았다.

하지만 정말 이해되지 않았던 것은
자신의 기준으로 누군가를 쉽게 판단하며
내게 이득이 될 사람, 있으나 마나 한 사람으로
자신의 인간관계를 정리했던 그 친구가
역설적이게도 누군가에게 무시를 당했다며
씩씩거리며 화를 내는 것이었다.

자신이 가진 이상하고도 차별적인 기준으로
누군가를 제외하고 모욕감을 준 것은
아무렇지도 않아 했으면서
정작 자신이 그런 대우를 받는 것은
용납할 수 없다는 것이 참 신기했다.

우리는 살면서 한 번쯤은 차별을 겪는다.
해외여행에 가서 동양인이라는 이유로
이유 없이 폭행에 휘말리기도 하고
염색을 했다는 이유로
누군가에게 손가락질을 받기도 한다.

하지만 이런 차별에 무작정 화를 내기보다는
내가 타인을 차별한 적은 없는지
생각해보는 시간을 가지는 것도 중요할 것 같다.
자신이 받는 차별은 억울하다고 말하면서
정작 다른 사람을 색안경 끼고 본 적은 없는지.
옷차림이 허름하다는 이유로
타인을 불신했던 적이 있지는 않았는지.

우리는 그 누구도 함부로 차별할 수 없고
내가 세운 기준으로 누군가를 판단할 수 없다.

계산적으로 다가오는 사람들에
너무 아파하지 않을 것

학창시절과 영원히 작별하고
사회에 첫 발을 내딛게 된 순간,
내 삶에서 가장 크게 달라진 건 인간관계였다.

학창시절 내가 가진 관계의 모든 공통분모는 학교였다.
내가 속한 반의 친구들, 옆 반 친구들,
나의 담임 선생님, 체육 선생님, 도덕 선생님 등등.
나는 이렇게 만들어진 관계가
영원할 줄 알았고 또 전부인 줄 알았다.
그런데 사회에 나와 보니 훨씬 다양한 관계가 많았고
각자 다른 마음을 품고 내게 다가왔다.

인스타그램에서 많은 팔로워를 얻었을 때
나라는 사람이 아닌
나의 파급력을 보고 다가오는 사람이 있었다.
너를 진심으로 이해하고 있고,
너라는 사람이 좋다는 잘 포장된 말로

속아 넘어갔다는 걸 알게 되기 전까지는
진실된 관계를 많이 얻었다며 좋아했다.

지금도 종종 그런 사람들이 다가온다.
함께 작업을 하자거나
괜찮은 기획이 있는데 꼭 참여해주었으면 한다는 말로
나를 끊임없이 불러내고 의사를 묻곤 하는데
그 사람들은 내가 거절하거나 싫다고 말하면
바로 뒤돌아서고 연락하지 않았다.
평소에는 잘 지내냐며 안부를 묻기도 하고
나를 진심으로 위하는 척하지만
자신에게 이익이 되지 않을 것을 직감한 뒤로는
바로 연락을 끊어버리는 거다.

나는 계산적이고 자신의 이익만을 따지는 관계에 지쳤고
당분간은 아무도 믿지 못할 만큼 권태를 느끼기도 했다.
하지만 그런 사람들 때문에 나를 걱정해주는
소수의 진실 된 사람들과 관계를 잃는 것이 더 싫었기 때문에.
그렇게 다가오는 사람들을 적극적으로 정리하기로 했다.

우리의 삶에서 관계 정리란
빼놓을 수 없는 삶의 규칙과 같다.

손톱을 깎는 일이나 머리카락을 자르는 것만큼이나
규칙적이고 자연스러운 행위.
그런 관계를 완전히 막는 방법은 없겠지만,
내게 조금 더 소중한 인연이 누구인지 알게 해주고
제 발로 나의 거름망에 들어와 걸러지는
그들에게 고마운 마음이다.
앞으로도 얼마든지 내 삶에 다가와 주기를.

혼자가 아닌 삶

가끔 우리의 삶에는 편치 않은 순간이 찾아온다.
친구와의 관계에서도 작은 흠집이 생기고
연인 앞에서도 웃음을 잃는 순간,
관계에 회의감을 느끼게 되는 순간 말이다.

나는 그 누구에게도 기대지 않으려고
다짐했던 적이 몇 번 있었다.
나의 모든 것을 알고 있고 또 나의 전부인
가족과 작은 문제가 생겼을 때,
편하게 기댈 곳이 사라진 나는
집에 있는 일조차 너무 힘겨웠고
앞으로는 그 누구에게도 기대지 말아야겠다고 다짐했다.
모든 일을 혼자서 감당하기로 한 거다.

하지만 시간이 지나면 지날수록
나의 다짐은 흐릿해져갔고
내가 잘 모르는 문제와 혼자선 풀 수 없는 고민들에

스스로를 더 힘들게 구석으로 몰아넣었다.
그러다 결국 다른 사람들의 도움을 받아서 일을 해결하면서
이 세상은 절대 혼자 살 수 없는 곳이라는 것을 깨달았다.

우리는 알게 모르게 타인에게 도움을 받고
또 그들에게 도움을 주며 살아간다.
보이는 곳, 보이지 않는 곳, 내가 필요로 하는 모든 것들에
타인의 도움과 노력이 묻어있기 때문에
그 누구의 도움도 받지 않고 살 수 있다는 것은
완전히 불가능한 일이다.

간혹 관계 속에서 문제가 생겨서
그에 따른 후유증으로
혼자 되기를 덜컥 결심하는 사람들도 많은데
부디 섣불리 결정하지 않았으면 하는 마음이다.

나는 혼자 살 수 없다는 것을 알게 된 이후부터
사람들이 내미는 손을 거절하지 않게 됐다.
또 그만큼씩 타인에게 손을 내밀기도 한다.
혼자서 모든 것을 해결하며 살겠다는 생각이 아니라
적당히 나의 주변을 챙기며 살겠다는 생각을 가지며.

인간관계는 완벽하지 않음을 인정하며
서로의 부족함을 사랑으로 채워주는 일이 전부가 아닐까 싶다.
가끔 누군가에게 소홀하고, 누군가가 내게 소홀했다고 해도
그럴 수 있음을 이해하고 따뜻하게 안아주는 일.
혼자서 모든 것을 해결하고 살아내겠다는 결심이 아니라
조금은 부족하더라도 부둥켜안고 사는 것 말이다.

모든 것에 보답하지 않아도 괜찮다

'연인이 나를 위해주는 것은 좋은데
그만큼 돌려줄 수가 없어서 내가 밉다.'는 말.
한 독자님이 가진 고민이었다.
나는 그 말을 듣고 한참을 생각했다.
왜 꼭 모든 일에 보답을 해야 할까?

누군가를 챙겨줄 수 있는 것은
마음의 여유가 있기 때문이다.
돈이 많고 시간이 아무리 많아도
마음에 여유가 없는 사람은 남을 챙기지 않는다.

나는 또래 친구들이 모두 학생일 때
혼자서 돈을 버는 유일한 친구였다.
친구들과 만나면 음식 값을 혼자 계산하기도 하고
어쩔 때는 밥 챙겨 먹으라며 기프티콘을 보내주기도 했다.
하지만 대부분의 사람들은 알 것이다.
이 모든 행동은 보답을 바라지 않고 한 일이라는 걸.

살면서 누군가에게 이처럼 도움을 받은 기억이 있을 것이다.
그중에서는 2천 원에 다섯 개 하는 붕어빵을 샀는데
한 개를 더 넣어주셨던 아저씨도 있을 거고
아이스크림 가게에서 정량보다
더 많이 넣어주었던 아르바이트생도 있을 것이다.

우리는 그들에게 일일이 보답하며 살고 있는가?
내가 챙겨주는 쪽이었다면 보답을 바라고 한 일일까?
모든 사람에게 받은 따뜻한 마음을
똑같은 양으로 돌려주지 않아도 괜찮다.

당신이 받은 호의와 따뜻한 마음을
계산하여 정량으로 보답하려고 애쓰지 말길.
당신이 받은 만큼 돌려주지 않는다고 해도
진심을 담아 상대방을 대하고 위한다면
그 사람은 분명히 알고 있을 테니까.

가슴 아픈 말

"그동안 참 고마웠어."

이 글자의 배열은 우리를 참 슬프게 한다.
관계가 끝날 때 주로 하는 말.
하지만 나는 이 말처럼 쓸데없는 말은 없다고 생각한다.

'그동안' 고마웠다는 말을 듣는 사람은
그 말에 보람을 느끼게 되는 것이 아니라
'앞으로'를 함께 하지 못한다는 생각에
더욱 가슴 아파하게 될 것이 분명하기에.
차라리 아무런 말을 하지 않는 게 더 낫다고.

관계의 끝에서 내뱉는 말은 되도록 신중해야 한다.
떠나는 사람과 남겨진 사람의 마음은 다르니까.
절대로 서로의 마음을 이해하지 못할 테니까.

답장

너무 늦어버린 감정과 제때 꺼내지 못한 마음.
그것들이 하나가 되어 흐르면 커다란 후회를 만든다.

사람과 사람을 대할 때마다 문득 다짐하는 게 있다면
감정은 미루지 않고, 말은 헷갈리지 않게,
마음은 신중하게 쓰자는 것이다.
전하고 싶은 말이 있다면
그 사람이 내 곁에 있을 때 말하고,
해주고 싶은 게 있다면 할 수 있을 때 해주는 것.

우리는 종종 누군가에게 완벽한 사람이 되고 싶고
부족함을 보여주기 싫어서 머뭇거리곤 하는데
순간의 감정과 마음을 확실히 전달할 수 있을 때까지
기다리게 되면 적절한 타이밍을 놓치고
그 사람은 이미 떠나갔을 가능성이 크다.

관계 속에서 생긴 크고 작은 문제들의

답을 모른다고 해도 괜찮다.
내가 그 사람의 마음을 알아주고 있다는 확신이,
실은 착각이어도 좋다.
정말로 중요한 것은 '첫 만남'이라고 쓰였던 첫 줄과
결국 겪게 될 '마지막 순간'이라는 마지막 줄 사이에
오답이든 정답이든 빼곡하게 적어보는 것.

문장이 끝나버리면
하고 싶은 말이 많아도 더 적지 못하고
긴 시간 내 마음속에만 남겨두어야 할 테니까.

인맥이 모든 것은 아니다

요즘 세상은 SNS로 인맥을 만들기 참 쉬워졌다.
개인의 아이덴티티를 담아서 계정을 운영하다 보면
취향이 비슷한 사람들을 만나게 되고
그 사람의 포스팅을 구경하고 조금씩 알아가며
연락처를 묻거나 만남을 약속하면
하나의 인맥이 되는 셈이니까.

아는 사람 중에 인맥이 참 많은 사람이 있다.
그 사람은 다양한 분야의 사람들과 두루두루 친했고
능청스럽게 관계를 유지했다.
그런데 그는 처음 보이는 태도와
조금 친해지거나 목적을 이룬 뒤의 태도가 다르다는 것.
그리고 유명한 사람들에게 쏟는 애정과 노력에 비해
정말로 도움을 준 사람들에게는 소홀했다.

사람들은 인맥이 많은 사람들을 보며 부럽다는 생각을 한다.
하지만 인맥이 아무리 많다고 해도 진실 되지 않으면

없는 것만 못하다는 것 또한 알아야 한다.
인맥의 양보다는 질이 더 중요하다는 거다.

우리에게 필요한 건
정말 나를 진심으로 생각해주는 몇 사람이다.
부디 알고 있는 사람의 수를 늘리기 위해
늘 곁에 있어 주었던 사람을 소홀히 대하며
도움이 될 사람들을 그 자리에 채워 넣는
바보 같은 일은 하지 않기를 바란다.

모르는 사람에게
손 내밀어주는 세상

일본을 여행하고 있을 때였다.
숙소에서 나와 여행지로 떠나기 전
잠깐 식당에 들러 허기진 배를 채우고자 했다.

맛있게 식사를 끝내고 계산하려고 지갑을 꺼냈는데
지갑이 있어야 할 주머니가 텅 비어있었다.

'아참, 식탁에 지갑을 놓고 왔지!'

아침에 겉옷을 갈아입기 전 지갑을 잠시 꺼냈다가
두고 나왔다는 것을 깨닫고는 혹시라도 돈도 없이
음식을 먹은 도둑놈 취급을 받을까 봐
쩔쩔매며 상황을 설명하고 있었다.

그때였다.
누군가가 내 음식값을 흔쾌히 계산해주었다.
그는 일본 사람이었는데,

내가 하는 말을 유심히 듣다보니
거짓말하는 것 같지 않고
자신도 비슷한 경험이 있었기에 도와준 거라 말했다.
나는 정말 고맙다며 숙소가 근처에 있으니
돈을 꼭 돌려드리고 싶다고 의사를 밝혔으나
그는 한사코 괜찮다며 다만 해주고 싶은 말이 있다고 했다.

자신도 여행지에서 비슷한 상황에 놓였을 때
누군가가 흔쾌히 돈을 내주었는데
그가 여행을 갔던 나라는 한국이었고
그때 도움을 줬던 사람의 말이 잊히지 않아
나를 흔쾌히 돕게 된 것이라고 했다.

"돈은 돌려주지 않아도 돼요.
다만 나중에 누군가가 어려운 상황을 겪고 있을 때,
내가 당신을 도왔던 것처럼
그 사람을 도와준다면 좋겠어요."

나는 그 말을 듣고 누군가의 도움이
이렇게 전염될 수도 있다는 걸 알았고
앞으로 나도 누군가에게 선의를 베풀어야겠다고 다짐했다.

우리의 삶은 조금씩 개인주의로 물들어 간다.
그동안 너무 누군가에게 의지하고, 자유롭지 않았기에
몰랐던 '나'에 대해 알아가고 집중하는 것은 중요하지만
그게 결코 이기적인 사람이 되라는 건 아니다.

나는 도움이 전염된다고 믿는다.
나에게 선의를 베풀어준 일본인도
한국인의 도움이 있었기에 내게 전해질 수 있던 것처럼.
누군가에게 손 내밀어주는 일을
기꺼이 멈추지 않아야겠다고 다짐했다.
좋은 마음이 세상에 가득 퍼지는 일은
상상만 해도 기분 좋아지는 일이니까.

정해진 인연은 없다

삶을 먼저 산 인생 선배들에게
계속해서 들었던 말이 있다.
중학교 친구가 오래 간다더라,
고등학교 친구가 오래 간다더라.
대학교 때 만나는 사람들이
정말로 오래 알고 지낼 수 있는 사람들이더라 같은 말들.

나는 그런 말들을 어려서부터 들어왔다.
중학교, 고등학교, 대학교에 가는 것을 기대했던 것도
어쩌면 나랑 정말 오래 알고 지낼 친구를
만날 수 있다는 기대감 때문이었는지도 모른다.

인생 선배들의 말에 의하면 중학교, 고등학교, 대학교
그곳 모두에서 정말 친한 친구를 만나게 된다는 거니까
어떤 친구들이 내 곁에 남을까 하며 설렜다.
한편으로는 누가 정말 오래 가는 친구일까, 하고
불안해하기도 했다.

스물 다섯이 되는 지금.
내 곁에는 오랜 시간 우정을 이어온 친구들이 남았지만
이 중에는 유치원 때 친구도 있고,
중학교 때, 고등학생 때 만난 친구도 있다.
그리고 학교 밖에서 만난 친구도 있다.

인생 선배들이 내게 전해준 말들은
그저 자신의 경험에 비춘 것들이었다.
마치 모두에게 적용되는 진리인 것처럼 말했지만
나에게는 그 얘기들이 아무런 소용없는 말이라는 것을
비로소 깨닫게 됐다.

마음 맞는 사람들은 언제, 어디서든 만날 수 있고
따로 정해져 있지 않다는 것.
정말 좋은 사람이 내 곁에 있기를 바란다면
나부터 좋은 사람이 되도록 노력해야 한다.

그러니 어디서 주워들은 말로
'고등학교에 가면, 대학교에 가면
좋은 사람들 있다고 했으니까
거기서 친구 많이 사귀어야지.' 하며 미루지 말고
지금 이 순간 주변을 잘 둘러보기를 바란다.

나와 말이 잘 통하고 편하게 대해주면서도
진지할 때는 나를 존중해주는 사람이 있는지.
그런 사람이 정말 오래 가는 친구일 확률이 높다.

우리가 명심해야 할 것은 어쩌면
알게 되는 사람들이 많아진다고 해도
나를 진정으로 생각해주고 아껴주는 사람을
잊지 않고 챙겨주는 것일지도 모른다.
고등학교 때 친구가 오래 간다는 말을 믿고
중학교 때 만난 친구들을 소홀히 대하며
지금 내 곁에 있는 소중한 사람들을 잃어버리지 않기 위해서.

길

사람과 사람이 닿으면 여러 문장이 생긴다.
그 문장을 보면 관계의 방향이 보이고.

반대 입장

우리는 살아가면서 나와 같은 입장을 가진 사람과
반대 입장을 가진 사람 모두를 만난다.

대부분 비슷한 의견을 가지고 있다는 것 하나로
같은 입장의 사람을 신뢰하고 따르게 되는가 하면
반대의 입장을 가진 사람들과는
피곤한 언쟁을 벌일 것이 분명하다는 이유로
그들의 말을 듣는 둥 마는 둥 하거나 무시하기도 한다.

하지만 "젊은이를 타락으로 이끄는 확실한 방법은
다르게 생각하는 사람 대신 같은 사고방식을 가진 이를
존경하도록 지시하는 것이다."라는 니체의 말처럼
우리는 같은 의견을 가진 사람의 말이 아니라
다른 사람의 말에 귀 기울이며 살아야 하는지도 모른다.

내 편을 들어주는 사람이 있다는 것은
분명 힘이 되고 좋은 일이지만

더 나은 사람이 될 수 있는 것은
내가 생각하는 나의 문제점보다는
타인이 생각하는 나의 부족한 점들을 개선하는 것이
더 확실하고 좋은 방법이니까.

다양한 생각과 말들 속에서
합리적인 것을 선택할 수 있는 내가 되었으면 좋겠다.

내 곁에 숨어 있는 위로들

한때 이별의 순간을 잠시 맛본 적이 있었다.
후회하지 않을 거라 확신했지만
내 예상은 보기 좋게 빗나갔고
나는 방에 가만히 앉아 한참을 울었다.
내 마음에서 무언가가 울컥 쏟아지는 것처럼
하염없이 내 안에 있는 것들을 털어냈다.

그런데 그렇게 울고 있으니
반려견이 내게 다가와 멀찍이 앉아서
나를 가만히 바라보는 것이다.
방금까지 세상이 무너질 것처럼 울던 나는
왠지 모르게 걱정되는 표정을 짓고 있는
반려견을 보자 순간 웃음이 새어 나왔다.

평소에는 잠만 자던 아이가
멀찍이 앉아 걱정되는 표정으로 나를 바라봐 주는 것이
참 웃기면서도 위로가 되었다.

우리는 살다 보면 정말 의외의 곳에서
무언가에게 위로를 받을 때가 있다.
마음이 지쳐 떠난 여행지에서
겨울 바다가 나를 위로해주기도 하고
답답한 마음에 자전거를 타고 내달리다가
노을 지는 풍경에 마음이 놓이기도 하고
책 속에 담긴 글들이 내 마음을 어루만져주기도 하고
영화 속 인물들의 삶을 통해 위안을 얻기도 한다.
위로해주는 사람이 있어야만
우리의 마음이 괜찮아지는 것이 아니라는 것이다.

삶이 무너질 것처럼 힘겹고 지칠 때면
아무 곳도 떠나기 싫고, 가만히 잠기고 싶은 마음을 안다.
어떤 것도 마주치기 싫고 그럴 힘도 없을 때일수록
내 주변에 있는 것들을 다시금 바라보아야 한다.
생각보다 주변에는 나를 위로해줄 것들이 많을 테니까.

힘이 들 때면 숨지 말고 마음을 열어두기를,
그러면 기대하지 않았던 것에서
큰 위로를 느낄 수 있다.

좋은 관계를 만드는 방법

예전에는 좋은 관계를 맺기 어려운 이유가
좋은 사람이 내 곁에 없기 때문이라고 생각했다.
똥차 가고 벤츠 온다는 옛말처럼
'혹시 내 곁에 있던 사람들이
똥차가 아니었을까?' 하며
좋은 사람이 오기만을 기다렸던 것 같다.

하지만 좋은 관계는 객관적으로
좋은 사람들을 만나야만 가능한 것이 아니었다.
각자 다른 흠을 가지고 있어도
나의 모난 부분은 상대방이 품어주고
상대방의 뒤처진 부분을 내가 끌어줄 수 있다면
충분히 좋은 관계가 될 수 있었다.

한때 유재석과 박보검을 보면서
저 사람이 내 지인이었다면
행복하겠다고 생각했던 적이 있었다.

미담 자판기로 불릴 만큼
성격이 좋고 주변 사람들을 잘 챙겨주기로 소문난 이들이라
내 지인이라면 참 좋겠다며 하고 부러워했었는데
지금 생각해보면 그 사람들이 내 곁에 있다고 해도
내가 소홀히 대한다면 좋은 관계가
되지 않을 수도 있는 거다.

좋은 관계는 조금은 부족해도
서로에게 최선을 다하고 소중함을 잊지 않는다면
언제든지 만들 수 있다는 것을 알게 된 거다.

객관적으로 보기에 완벽하지 않은 사람들도
누군가에게 특별하고 소중한 사람이 될 수 있으니까.

완벽하지 않아도 잘 맞물리는 서로가 된다면
완벽에 가까운 관계를 만들 수 있지 않을까?
나는 그렇게 생각한다.
좋은 관계는 누구나 가질 수 있는 거라고.

쓸모없는 발걸음이 있을까

세상에 쓸모없는 일과 경험은 없다.
하루하루를 살아가면서 더욱 와닿게 되는 말이다.
나는 별로 하고 싶지 않은 일을 하면서
'이런 게 내 인생에 어떤 도움이 될까.'라는 생각으로
싫증을 부린 적도 있었고 열심히 하지 않았던 적이 있었다.

누가 봐도 좋은 일, 재미있어 보이는 일을 하고 싶어 했으며
알바를 하거나 힘든 노동을 할 때는
내 삶을 위해 고생한다는 생각보다
그저 돈을 벌겠다는 집념 하나로 버티곤 했다.

그런데 지금 와서 보니 그때의 경험들이
절대 사라지지 않는다는 것을 알게 됐다.
삶은 수많은 점이 모여 하나의 선이 되는 과정이라는 말처럼
내가 겪었던 많은 일들, 아주 작고 사소했던 행동들이
모두 쌓이고 모여서 미래의 내 삶에 도움이 되어주었다.

청소를 하다가도 대단한 걸 깨달을 수 있고
잠을 자다가 불편했던 기억으로
세상이 놀랄만한 발명품을 만들어내기도 하고

지금 내가 쓸모없다고 생각하는 지금 이 순간도
자세히 들여다보면 미래의 나에게
도움이 되는 순간일 수도 있다는 거다.

삶은 보물찾기 같다.
살면서 마주하는 많은 순간 속에 보물들이 숨겨져 있다.
어쩌면 지금 내 주변에 보물들이 있을지도 모르는데
그저 쓸모없다는 생각으로
하찮게 순간을 보내고 있지는 않은지.

우리는 매 순간을 열심히 살아야 한다.
좋은 일, 멋진 경험만 내 곁에 두려고 하는 것보다
내가 앞으로 겪게 될 많은 순간 속에서
치열하게 살기 위해 노력하는 편이
내 삶에 도움 될 테니까.

사랑은 차선책이 될 수 없다

혼자인 것보다 더 슬플 때가 있다.
그다지 의미 없는 관계를 붙들고 살 때다.
외로움이 극에 달하면 사람들은 사랑으로 도피하려 한다.
차선책으로 사랑을 택하는 것이다.
하지만 여기에 큰 오류가 있다.
사랑은 차선책이 될 수 없다.

그런 사랑은 손톱을 물어뜯는 습관보다
더 쓸모없는 짐이 될 수도 있으며
사랑을 시작한다고 해서 없던 의미들이 생겨나지도 않는다.
사랑을 우울의 해결책으로
생각하는 사람들에게 말하고 싶다.
그럴 바에는 차라리 혼자인 게 낫다고.

이 세상에는 달콤한 사랑, 영화 같은 만남도 많지만
의미 없는 관계를 유지하면서 결국 배신하는
사랑의 탈을 쓴 악역들이 참 많으니까.

내 삶이 엉망이고 건강하지 않은데
누군가를 만나 사랑을 한다고 해서
절대 괜찮아지는 것이 아니라는 것을.

그대의 삶이 우선이다.
사랑은 그 삶이 안정된 다음에 해도 좋다.
사랑은 황홀하지만, 결코 회복제는 아니니까.

맹목적인 사랑은
나를 위한 길이 아니다

나를 전적으로 좋아해주는 사람만을
진정으로 좋아하는 거라 생각하곤 했었다.
사랑한다면 나를 감싸주고 이해하며
나에게 모진 소리를 내뱉는 게 아니라
그저 나를 토닥여줄 수 있어야 한다고.
그래서일까, 나는 그런 태도로 타인을 대했다.
내가 좋아하고 아끼는 사람일수록
모진 말을 내뱉기보다는 그 사람을 전적으로 아껴주고,
모난 행동을 하더라도 그저 이해로 감싸곤 했다.
나는 그게 진정한 사랑이고
그 사람을 위하는 길이라고 확신했으니까.

그런데 살아가면서 느낀 것은 맹목적인 사랑으로는
상대방을 절대 행복하게 만들 수 없다는 것이다.
무조건 감싸주는 게 오히려 그를 불행하게 만들 수도 있다고.
정말 누군가를 좋아한다면, 그리고 아낀다면
우리는 다른 방식의 사랑을 택해야 할 것이다.

올바르지 않은 길로 걸어가는 누군가를 보며
그저 바라보고만 있는 것은
그 사람이 미래에 겪안을 불행을 알면서도
방치를 하는 것과 다를 바가 없으니까.
가끔은 반대편에 서서 일러줄 수도 있어야 하고,
모난 행동을 가만히 묵인하지 않아야 한다.

문득 내 반대편에 서서 말을 건네준 사람들이 떠오른다.
나는 그런 사람들을 어떻게 생각했던 걸까.
그 순간 내게 좋지 않은 말이라며 흘려들었던 말들이,
나를 좋은 방향으로 안내해주는 것이었다는 사실을
너무나 늦게 알아버렸다.

늦게나마 그들에게 감사를 전하고 싶다.
비록 시간은 많이 지났고 누군가는 떠나기도 했지만
앞으로 그들처럼 누군가의 곁에서 살아갈 것이다.
뒤늦게 감사를 전할 방법은 그것뿐인 것 같으니까.

지금 곁을 잘 보기를 바란다.
누구보다 나를 위하는 말들을 해주는 사람이
곁에 있음에도 우리는 모르고 있을 가능성이 크니까.

지나치게 신경 쓰게 되는 연애

지금 생각해보니 나는
나를 지나치게 신경 쓰게 되는 연애보다는
자연스럽고 편한 연애를 할 때 더 행복했다.

전에는 나를 치장하고
또 주변의 시선을 의식하며 사람을 만났는데
지나고 보니 내가 가장 행복했던 때는
잠에서 깨어 서로의 손을 잡고
집 앞 편의점에 갔을 때,
침대에 누워 빔프로젝터로 영화를 볼 때,
함께 등을 맞대고 앉아 만화책을 볼 때였다.

이제 나는 데이트를 할 때마다
멋진 옷을 입고 나를 꾸미는 것에 신경을 쓰는 일보다
있는 그대로의 내 모습으로 누군가를 만나
'오늘은 좀 더 따뜻한 말을 건네야지!'
하고 다짐하는 일이 더 좋다.

물론 처음부터 편한 연애가 쉽지는 않고
나조차도 처음에는 잘 보이기 위해 애를 썼다.
하지만 중요한 건 만남이 길어질수록
진정한 내 모습을 드러내고
상대방의 진짜 모습을 알아가고
이해하려는 노력이 아닐까 한다.

어쩌면 사람이 가장 아름답게 빛나는 시간은
서로를 가장 잘 알고 있을 때가 아닐까.
꾸며진 모습보다 그 안에 숨겨진 진짜 모습을
알아가려고 언제나 노력해야겠다.

마음을 신경 쓰는 사람이 되기를

우리는 마음이 가는 길을
그저 뒤따라가고 있는 것인지도 모른다.
항상 곁에 있던 친구와 연인이
나를 떠났다면 실은 한참 전에
마음이 먼저 멀어진 것이고
내가 좋아하는 사람이
고백을 받아주며 내 손을 잡아주었다면
실은 그의 마음이 이미 와 있던 것이다.

이처럼 관계는 눈에 보이는 것만
신경 써서는 안 되는 것이다.
내 옆에 있는데 마음이 없는 일을 피하려면
그 사람의 마음이 떠돌지 않게
마음과 손을 잡고 얘기해야 한다.

마음은 멀어지는 줄도 모르고
그저 곁에 있다는 이유로 안심하고

조금은 소홀했었던 과거의 내 모습이 조금은 후회스럽지만
사람보다 마음을 더 먼저 생각하고 신경 쓰면서
혹여나 내가 돌보지 못한 부분은 없는지,
의도치 않게 상처를 주지 않았는지 되돌아본다면
잃어버릴 관계를 조금은 줄일 수 있을 거라고 생각한다.

그러니 곁에는 있지만 마음이 멀어진 사람은 없는지,
마음은 진작 떠나버렸는데 미안한 마음에
다른 사람의 곁에 억지로 머물러 있지는 않은지
우리는 자주 점검 해야 한다.

삶은 길다

놓친 인연에 너무 힘들어하지 마라.
어긋난 사람 때문에 긴 시간 앓지도 마라.
삶은 아직 많이 남았고 만남도 분명 많이 남아 있다.
지금 당신이 잡지 못했다고 생각하는 운명적인 사람.
생에 한 번이라도 만날 수 있을까 생각한 사람.
그 사람보다 더 운명적인 사람을 만나게 될 수도 있다는 것.

그러니 속단하지 않기를 바란다.
이미 당신의 곁을 떠나간 사람 때문에
다가오는 사람들을 오히려 쳐내지 않기를.

그중에는 나와 인연인 사람이 있을 수도 있으니까.
흘러간 사람, 잡히지도 않는 사람 때문에
지금 이 순간을 버리지 않기를.

사랑 때문에 주변 관계에
소홀하지 않게

사랑을 시작하면 평소에 친했던
이성 친구와 연락을 끊는 사람들이 있다.
연인이 있는 상태에서 친밀한 관계를 유지하고
꾸준히 연락하고 지내는 것이
연인에게 불쾌감을 줄 수 있겠다는 생각에.

나도 그랬던 같다.
아무리 친한 친구라고 한들 연인은 질투할 수도 있고
그 이유라면 친구도 이해해주지 않을까 싶어
친구에게 소홀했었다.

하지만 지금 생각해보면 왜 그랬을까 싶다.
사랑과 친구는 완전 별개의 존재고
내 삶에서 분명히 소중한 것들인데
우리는 왜 항상 '사랑이 먼저다, 우정이 먼저다.' 하며
우선순위를 정하고 하나를 포기해야만 직성이 풀리는 걸까.

사랑을 위해 주변 관계를 버리지 않기를 바란다.
친구를 버려야만 유지할 수 있는 사랑을 하고 있다면
사랑이 끝났을 때 당신 곁에는
아무도 남아 있지 않을 것이고,
그 사랑도 건강하지 않다는 증거인 셈이다.

내가 누군가의 남자친구, 여자친구라고 해서
그 사람의 인간관계를 마음대로 찢어놓거나
좋지 않은 영향을 끼칠 수는 없다.
사랑은 믿음이 기반이 된 아름다운 행위고
그 믿음은 주변 관계를 정리하는 것이 아니라
평소의 행동이나 충분한 사랑으로도 채울 수 있다.

우리는 그 어떤 것보다 상대방을 존중해주고
서로에게 믿음을 쌓아가는 일이 우선되어야 한다.
나의 연인이 친구와의 관계를 불편해한다면
완전히 관계를 벽을 쌓는 것이 아니라
적당한 선을 지키며 살 수 있도록 해야 한다.

서로를 완전히 소유하는 것보다
그 틈을 믿음으로 채울 수 있는 사랑이 더 튼튼할 테니.

정

우리는 누군가에게 정을 받고
또 열심히 정을 주기도 하는 어쩔 수 없는 사람입니다.

예전에는 정을 주는 것의 의미를 잘 몰랐습니다.
좋아하는 사람이 있으면 무작정 마음을 쏟았고
머뭇거리지도 물러서지도 않았죠.

그러던 어느 날, 정을 주는 일이 두려워졌습니다.
마음을 쏟았는데 그 사람이 나를 떠나가거나
나를 두고 돌아서는 뒷모습을 바라보고 나니
'정을 많이 주면 괴로운 건 결국 나구나.'
'관계에서 제일 괴로워하는 쪽은
마음을 깊게 쓴 사람이구나.' 하고 느꼈을 때.

학생들을 가르치는 사람들은
절대로 사람들에게 마음을 주지 말라는
얘기를 항상 듣는다고 합니다.

아이들에게 정을 주지 말라고,
잘해줘도 결국 떠나가게 되어있고
상처를 받는 쪽은 언제나 남겨진 사람이니.

하지만 어떤 사람은 말합니다.
정을 주고서 누군가에게 배신을 당한 적도 있고
사람에게 상처를 받은 적도 여럿이지만
하지만 그럼에도 학생들에게 정을 주는 것을 멈출 수 없다고.
가끔 내 곁에 남아준 몇몇 학생들 때문에,
진심을 알아준 소수의 사람 때문에
여전히 정을 주며 살아간다고 합니다.

깊은 사랑일수록 헤어나오기 쉽지 않고
오래 알아온 사람의 마음이 변할 때
그것만큼 힘든 것은 없는 것처럼,
누군가에게 정을 쏟는 것이 두려워졌을지도 모르지만
한때 마음을 깊게 썼다는 것은
훗날 돌아봤을 때 후회되는 일은 아닐 겁니다.

반려견이 나를 반드시 떠나간다는 것을 알면서도
이별의 아픔이 커질까 봐 정을 주지 않고
좋아하는 사람이 있으면서도

관계의 불확실함 때문에 정을 주지 않는다면

함께 하는 순간에 행복할 수 없겠죠.

정을 준다는 것은 어쩌면

누군가와 함께 하는 순간에 충실한 것일지도 모르겠습니다.

그러니 너무 두려워하지 맙시다.

언제까지나 내 곁에 있는 사람은 없고

함께 하는 순간을 소홀히 보내는 것보다

차라리 정을 주는 것이 더 적은 후회를 남길 테니.

우리가 잘되는 길

몇 년 전 아는 작가님으로부터 이런 얘기를 들었다.
내가 잘되는 길을 걷는 것보다
우리가 잘되는 길을 걷는 것이 더 좋은지도 모르겠다는 말.
나만 잘되고 즐거운 건 금방 끝나기 마련이지만
다 같이 잘되는 것이 어쩌면 오래 좋을 수 있다고.

우리는 살다 보면 함께 경쟁하는 사람들을 만나게 된다.
일이든, 꿈이든 내가 좋아하는
가수의 콘서트 표를 구할 때마저도
누군가와 경쟁을 하고 더 나은 위치에 서기 위해 노력한다.
누군가 협력하자며 말을 걸어와도
상대방이 나를 밟고 혼자 올라서지는 않을까,
속으로 두려워하며 경쟁을 택한다.
결국 나를 더 힘들게 하는 선택지임에도 불구하고.

그 당시에는 그 말을 잘 이해하지 못했는데
이제 조금은 그 말의 의미를 알 것도 같다.

이 세상은 완전한 개인으로 살아갈 수 없고
언제까지나 독점할 수 있는 것은 없다.
내가 지금 누구보다 압도적인 위치에 있다고 하더라도
결국, 언젠가는 누군가가 나를 따라잡는 날이 오고
그때가 되면 경쟁이 얼마나 부질없는 것이었는지 깨닫게 된다.

나는 내 주변에 있는 사람들이
궁금해하는 게 있거나, 정보를 원한다면
거절하지 않고 내가 가진 것들을 알려주기 위해 노력한다.
그 사람이 나와 같은 길을 걷고 있기 때문에
누군가는 경쟁자라고 생각할 수 있지만
그 사람이 잘되는 건
결국 내가 잘되는 길이라는 것을 믿기 때문이다.
나의 도움으로 인해 그가 잘되면
우리가 가진 것들이 남들에게 더 많이 알려질 테고
곧 나에게도 좋은 영향이 되어 돌아올 테니까.

혼자만 알고 있으려고
이기적인 태도로 살아가는 사람이 되지 말아야지.
누군가 내미는 손을 잘라내는 사람이 되지 말아야지.
이렇게 다짐한다.
그건 혼자 뒤처지는 길일 테니까.

끝까지 애쓰기

사람은 끝을 보지 못하면
그 기억을 쉽게 지우지 못한다고 한다.
사람들이 첫사랑을 잊지 못하는 것도,
읽다 만 소설책의 내용을 기억하는 것도,
마무리를 짓지 못했기에 마음속에서 놓아주지 않는 것이다.

첫사랑의 정의는 사람마다 제각각이다.
처음 사귀었던 걸 첫사랑이라고 부른다면
유치원 때 다른 곳으로 이사 가버린
이름 모를 여자아이가 내 첫사랑이겠고,
이뤄지지 않은 사랑을 첫사랑이라 부른다면
나는 수많은 첫사랑을 겪은 사람이 되겠지만,
내가 생각하는 첫사랑은
적어도 두 계절을 함께 보내며
처음으로 내게 진정한 사랑이 무엇인지
알려준 사람이라고 생각한다.

그래서 내 첫사랑은
고등학교 3학년 때 만났던 사람이다.

사랑에서 끝을 본다는 것은 뭘까.
어떤 식으로든 감정이 소멸해버리는 것?
관계가 깨지고 서로의 곁에서 떠나게 되는 것?
나는 아무런 후회가 없을 만큼 나의 모든 것을 쏟아
누군가를 사랑하면 그 끝에 도달할 수 있다고 생각한다.
첫사랑이 계속해서 생각이 나는 것이,
지난날 겪은 사랑이 자꾸만 후회되면서도 떠오르는 것이,
그에게 끝까지 마음을 주지 못했기 때문에
아직 끝이 나지 않은 거라 착각하고
잊지 못하게 되는 건 아닐까?

그러니 누군가를 사랑한다면 마음을 다 바쳐 사랑해보자.
첫사랑과 헤어지게 되고, 다음에 만나는 사람에게는
내가 쓸 수 있는 마음 전부를 쏟아야겠다고
스스로 다짐한 순간이 있었기 때문에
지금 내가 더 적게 후회하며 사는지도 모르니까.
만약 그러지 못했더라면 사랑이 끝날 때마다
덜 사랑했다는 이유로 긴 시간을 후회하며
잊지 못한 채 살았겠지.

내 마음 다 바쳐 사랑한 사람보다 더 주지 못했던 사람이
더욱이 생각나고 잊히지 않는 것처럼
당신이 마음 한구석에 남은 찌꺼기마저
남겨두지 않고 모두 쓰기를 바란다.
사랑만이 아니라 삶을 대하는 일에서도
더 적은 후회를 남기고 미련을 만들지 않을 수 있도록
모든 순간, 소홀히 보내지 않기를 바란다.

생일

나는 내 생일이 싫었다.
1년에 한 번 있는 소중한 날, 축하가 가득한 날,
누군가는 케이크에 꽂힌 초를 후- 불며 소원을 빌고
특별한 식사를 하겠지만
나는 누군가에게 축하를 받는 게 어색했고
생일이 그다지 기쁘지 않아
혼자 조용히 보내고 싶었던 적이 더 많았던 것 같다.

가끔 이런 생각을 했다.
태어나고 싶어서 태어난 게 아닌데,
내 의지로 삶을 시작하게 된 것이 아닌데
나는 왜 힘든 순간을 버티고 겪어야만 하는 걸까?

조금은 억지로 사는 것 같다고.
살 이유가 없는 것 같다고.
살아가는 것이 즐겁지 않아서
긴 시간 방황을 했었다.

내 곁에 있는 사람들에게 살아가는 것이 힘들다고
투정을 부리기도 했고 징징대기도 했다.

그런데 그런 생각들도 결국은 한때였다.
길을 헤매던 나도 결국은 괜찮아지더라.
누구나 나처럼 의욕을 잃은 순간을 겪었을 것이다.
살아간다는 것이 마음처럼 되지 않을 때,
생각지도 못했던 시련과 고난이 내 삶에 찾아왔을 때
나는 왜 이 세상에 이런 모습으로 있는지
나를 탓하기도 하고 삶에 흥미를 잃어갔을 것이다.

내 곁에 있는 사람들, 이 글을 읽고 있는 사람들도
똑같은 감정을 겪었을 거라 확신하기에
나는 이들에게 힘을 주는 사람이 되기로 했다.
태어나줘서 고맙다는 말과
곁에 있어 줘서 고맙다는 말 같은 것들,
지금 이 세상에 놓인 그 자체만으로도 소중하다는 것을
내 곁에 있는 사람들에게 말해주는 사람이 되기로.
비록 나는 듣지 못한 말이지만
같은 감정을 겪고 있는 사람들에게 건네면
그들의 삶이 조금은 안정이 되지 않을까,
그걸 보는 나도 보람 있다고 느낄 수 있을 것 같아서.

"태어나줘서 고맙습니다."

나는 이 말을 사랑하는 사람에게
자주 들려주기로 했다.

말 한마디의 중요성

말 한마디를 건네는 것과 건네지 않는 것의 차이는 크다.
한해의 끝 무렵 감사했던 사람들에게 인사를 건네는 것과
아무런 말도 없이 보내는 것의 차이 또한 크다.

한때 엄마가 건강검진을 받고서
간이 생각보다 별로 안 좋다는 결과를 보고
한참 우울했던 적이 있었다.
심각한 것처럼 보이지는 않았으나
외식 메뉴를 고를 때마다 간에 좋은 음식을 먹자고
장난스레 말하는 엄마의 모습에서
내심 걱정하고 있는 것이 느껴져
나는 술도 먹지 않고 앞으로도 먹을 생각 없으니
간 필요하면 언제든 떼어주겠다고
엄마에게 말했다.

때로는 말 한마디가 사람의 마음을 울린다.
설령 내뱉은 말을 지키지 못하는 상황이 오더라도

내가 정말 심각한 상황 속에서 힘들어할 때
누군가가 따뜻한 말 한마디 건네주는 것만으로도
내 마음에는 온기가 가득해지는 것이다.

누군가의 짐을 조금이라도 일찍 덜어낼 수 있는 것은
문제를 해결할 방법을 찾는 것보다
괜찮냐는 따스한 물음과
걱정하지 말라는 말 한마디일지도 모른다.
정말로 힘든 사람에게 필요한 것은
누군가의 따뜻한 위로일지도 모르니까.

엄마는 간을 떼어주겠다는 내 말이 말뿐인 위로라고
생각했을지는 몰라도 그 순간 조금은 안심되었을 것이다.
한마디 말로도 왠지 든든한 기분일 테니.

말 한마디의 중요성을 깨닫기를 바란다.
사소한 말일지라도 그게 누군가에게는
정말 절실한 한마디일지도 모르니까.

'다름'과 '틀림'의 차이

우리는 모두 다른 삶을 산다.
하지만 그렇다고 해서 모두가 틀린 것은 아니고,
정답 또한 정해져 있지 않다.

간혹 '다름'과 '틀림'의 차이를 모르는 사람들이 있다.
내가 인상 깊게 본 영화 〈wonder〉는
유전자 문제로 태어날 때부터 선천적인 안면 기형을
앓고 있는 소년의 이야기를 담고 있는데,
소년의 외모를 틀린 것이라 규정하고
달갑지 않은 시선과 날카로운 말들로
상처를 주는 사람들과
다름을 인정하고 소년을 똑같은 사람처럼
대하는 사람들이 나온다.

살아가면서 우리는 종종 나만의 기준으로
옳은 사람과 옳지 않은 사람으로 타인을 구분하곤 하는데
나만의 생각으로 이루어진 이기적인 기준은

남에게 상처 주기 딱 좋은 무기가 된다는 것을
잊지 않았으면 좋겠다.

내가 자유로운 사람이라고 해서
규칙적인 사람을 보고 틀렸다고 생각할 수는 없고,
내가 부자라고 해서 가난한 사람들을 보며
비난할 자격이 생기는 것도 아니다.
우리는 모두 같지만 조금씩 다른 삶을 살아갈 뿐이니까.

'틀림'의 시선을 품고 살아가면
맞다고 생각하는 사람이 아닌 사람들은
모두 틀린 사람이 되지만
'다름'의 시선을 품고 살아가면
비로소 모두를 같은 사람으로 바라볼 수 있다.

그러니 꾸준히 나의 시선을 점검해야만 한다.
편협한 생각으로 타인을 바라보지 않게,
누군가의 마음에 깊은 상처를 내는 일이 없도록.

오해

가끔은 풀기 싫은 오해도 있다.
내게 독이 되는 관계 안에서 생긴 오해라면
차라리 그것을 빌미로
점점 멀어지고 싶다는 생각을 할 정도로.

마음을 쓰는 쪽

마음을 쓰는 쪽은 언제나 받는 쪽보다 외롭다.
자신을 생각하는 것보다 다른 사람을 생각하는 것에
더 자연스럽고 익숙하기 때문에.

나에겐 부모님이 그랬다.
가끔 외식을 하는 날이라도 되면
무얼 먹고 싶은지 늘 우리들에게 물어보셨고
휴가를 갈 때도, 영화를 볼 때도
부모님은 언제나 우리에게 마음을 쓰셨다.

그 당시에는 그게 그저 좋았고
별다른 생각을 하지 않았는데
부모님이 좋아하는 게 뭘까,
생각해보니 막상 떠오르는 게 별로 없었다.

그때 깨달았던 것이다.
나는 언제나 마음을 받기만 했고

부모님은 언제나 마음을 쓰기만 했으니
그분들을 자세히 알지 못하는 건
아주 당연한 사실이었다는 것을.

이제는 마음을 쓰는 쪽의 사람을
조금 더 헤아릴 수 있는 삶을 살고 싶다.
내가 보지 못했던, 알아주지 못했던
언제나 누군가를 위해 마음을 쓰기만 바빴던
그 사람의 마음을 조금이라도 더 알아주고 싶다.

기대치를 낮추는 일

기대에는 제한선이 없어서 우리는 종종 선을 넘는다.
기대치가 높아질수록 상처가 깊어질 거라는 것도 모른 채.

타인을 대하는 게 그렇다.
연인은 나를 언제나 꾸준히 사랑해주고 있는데
나를 어제보다 오늘 더 사랑해줄 거라는 기대를 하게 되면
그가 주는 사랑의 크기가 작아지지 않아도
어제보다 더 큰 사랑을 주지 않았다는 이유로 실망하게 된다.

관계 속에서 많이 실망했다면,
어느 정도의 기대가 적당할지 잘 모르겠다면
기대를 낮추는 것도 하나의 방법일 수 있다.
당연한 것은 없다고 생각하는 것.
타인에 대한 욕심을 버리는 것.

기대치가 높아질수록 괴로워지는 것은 결국 내 마음이다.
사람이 기대를 통해 행복을 유지하려면

더 많고, 더 크고, 더 빛나는 무언가가 있어야 한다.

기대를 버리는 일은

내게 주어진 것들에 만족하는 방법을 알게 되고.

많이 갖지 않아도 행복할 방법을 알 수 있는 유일한 길이다.

나를 향한 타인의 모든 행동과 선의를

당연하다고 생각하지 않고

아주 작은 것으로도 기뻐할 방법을 알게 되는 길.

너무 많은 기대를 안고 사는 것은 아닌지

나를 되돌아보는 시간을 갖자.

내 곁에 머물러 있는 당연한 것들을 사랑하고

나를 향한 누군가의 마음을 편식하지 않으며

진정한 행복을 찾을 수 있는 사람이 될 수 있기를.

'나'라는 존재를 사랑해주는 사람

눈 한번 깜빡였을 뿐인데
창밖으로 무수히 많은 삶이 지나간다.
손잡고 다정히 걷는 노부부와 자전거를 타고 달리는 학생들,
나물을 파는 할머니와 집으로 귀가하는 직장인들까지….
시간은 아차! 싶을 만큼 무서운 속도로 내달리고
우리가 붙잡지도 못하게 아쉬움만을 남긴 채 사라진다.

살아오면서 나는 수많은 사랑을 겪었다.
한때는 사계절을 함께 보낸 사람만이
진정한 사랑을 나눈 사람이라고 생각했던 적이 있었다.
고작 몇 계절도 버티지 못하고 헤어진 사랑은
사랑이라고 부르기도 민망한 것이라고.

하지만 중요한 건 얼마나 만났는지가 아니었다.
아무리 오랜 시간 사랑을 하더라도
손 틈새로 모래가 빠져나가는 것처럼
순식간에 마음에서 사라질 수도 있는 거였다.

긴 시간이 지나서도 내 마음을 서성이는 사람은
겨울날 눈 쌓인 골목길에서 내 손을 잡아주던,
조건도 이유도 없이 날 사랑해준 사람이었다.
나와 함께라면 모든 순간이 즐겁다고 말해주고
내가 가진 것들이 아니라 마음을 원하며
나라는 사람 그 자체를 좋아하는 마음이 보이던
소중하고 진실한 마음을 가진 그런 사람.

당신의 곁에도 그런 사람이 숨 쉬고 있을지 모른다.
그 어떤 것보다도 당신의 존재를 사랑하는 사람.
당신과 함께라면 그 어떤 순간에서도
웃음을 잃지 않는 그런 사람.

인생이라는 기차 속에서 눈 한 번 깜빡이면
수많은 장면이 쏜살같이 지나가는 것처럼
평생 한 번 만날까, 말까 한 사람을
절대로 곁에서 놓치지 않기를 바란다.
나는 그 사실을 알게 되기까지
너무 많은 시간을 버렸다.

조심스러울 필요

나는 공포영화를 잘 못 본다.
언제나 눈을 가리고 귀를 막으며 본다.
공포영화에서 가장 무서울 때를 꼽으라면
주인공이 긴장을 하다가 안심을 할 때라고 대답하고 싶다.
사람 심리라는 게, 안심하게 되면
그 뒤에 찾아오는 공포는 훨씬 더 크고 강력하기 때문이다.

사람과의 관계도 똑같다고 본다.
보통 어떤 사람에게 대단히 실망하는 때는
관계를 신뢰하고 안심하고 있을 때가 대부분이다.
관계가 안정적일수록 상처는 더 깊게 다가온다.

관계 속에서 우리가 조심스러워야 하는 순간은
흔들리고 불안할 때만이 아니다.
관계에 아무런 문제가 없다고 느낄 때일수록 신중해야 한다.
잔잔한 물 위에서는 작은 돌멩이 하나만 떨어져도
파장이 큰 법이니까.

한 줌의 후회

떠나온 사람은 남겨진 사람의 마음을 헤아리지 못한다.
손을 흔들고 나면 공허함 속에서 견뎌야 하는
그 쓸쓸함을 모른다.
몇 년이 지나도 후회되는 장면이 있다.
보통의 후회가 아닌 살아가는 내내
하게 될 만큼 넉넉한 후회.

사람은 살아가면서 한 번쯤
운명적인 사람을 만나게 된다고 믿는다.
나에게도 그런 사람은 찾아왔었다.
그때 그 시절, 내가 모르는 것들을 알게 해주고
내가 가진 것들을 빠짐없이 사랑해주던 흔하지 않던 사람.
그 사람은 사실 생에 한 번 마주치기도 어려운 사람이었는데
그때는 바보처럼 소중하게 생각하지 못했던 것 같다.

인간은 언제나 후회를 안고 산다.
어쩌면 후회를 만들며 살아가는 것일지도 모르겠다.

살아가면서 문득 생각이 날 때가 있다.
지금은 잘 지내고 있을까,
어떤 계절에 살고 있을까 하며….

가끔 내 머릿속을 완전히 헤집어 놓아도
금방 털어버리기로 했다.
후회 속에 갇혀 있는 것은
또 다른 후회를 낳는 것일지도 모르겠다는 생각과
후회를 통해서는 지금 내 삶이
행복해지지 않을 거라는 생각이 들어서다.

살아간다는 것은
한 줌의 후회를 쥐게 되는 것일지도 모르겠다.
그건 누구에게나 주어지고, 완전히 버려지지도 않는다.
그러면 우리는 어떻게 살아야 할까.
한 줌의 후회를 가진 채, 또 다른 후회를 만들지 않기 위해서
어떤 노력을 해야 하는 걸까.

나는 이렇게 생각한다.
어쩌면 후회를 손에 쥔 채로 살아가는 것보다
가슴 한편에 무심하게 툭 던져 놓은 채
무던히 살아가는 게 낫다고.

행복이 다가와도 그것을 잡을 수 없다면
손에 쥔 후회를 꽉 붙잡고 놓지 않는다면
한 줌의 후회는 결국 더 커지고 많아질 거라고.
그러니 차라리 가슴 한편에 밀어 넣고
버리려 애쓰지 말고 함께 살아가는 편이 낫다.

들을 줄 아는 사람

말하는 것보다 중요한 것은 들을 줄 아는 것.
나는 대화할 때마다 항상 말을 하는 편보다는
들어주는 편에 서는 걸 좋아하곤 했다.
말을 잘 들어주는 특별한 능력이 있어서가 아니라
말주변이 없다 보니 자연스레 듣는 게 편해진 것 같다.

누군가 내게 "너는 말을 참 잘 들어줘."라고 말해줄 때도
나는 이 능력을 대단하다고 생각한 적이 없다.
말을 하는 것에 비해 내가 하는 일이란
그저 고개를 끄덕이고 맞장구를 쳐주며
상대방의 말에 귀를 기울이는 것뿐이니까.
타인의 말을 들어주는 것은
누구나 할 수 있는 거라고 생각했다.

그런데 어느 날, 내가 감정을 털어놓고 싶어서
주변에 있는 사람들에게 얘기를 꺼내고 보니
잘 들어주는 사람과 그렇지 않은 사람의 차이가

생각보다 크다는 것을 알게 됐다.

아무리 말을 해도 벽같이 느껴지는 사람이 있는가 하면
내 얘기를 들어주는 것만으로도 위로가 되는 것 같은,
나를 편안하게 해주고 진심으로 들어주는 사람이 있었으니.
앞으로 절대로 벽같은 사람이 되지는 않아야겠다고
스스로 다짐하게 됐다.

말하는 것보다 더 어려운 것은,
잘 들어주는 일이라는 것을 알게 되고 나서는
사람들이 내게 속내를 털어놓는다면
내가 좋은 사람이라는 증거가 아닐까 생각했다.
앞으로도 나는 듣는 사람으로 살아갈 것이다.
아니, 들을 줄 아는 사람으로 살아갈 거다.

관계를 건강히 지키는 방법

어떤 상처는 아물지 않는다.
시간이 흘러도 괜찮아지지 않는 것도 있다.
상대방의 마음을 살피는 일.
그 사람의 민감한 부분을 건들지 않는 것만으로도
관계를 건강히 지킬 수 있다고 생각한다.

혹여나 사람의 상처를 아무렇지 않다는 듯 가볍게 대하거나
농담처럼 말한다고 해서 그 사람의 기분이 유쾌해질 거라든지
상처를 대수롭지 않게 생각할 거라 착각하지 마라.
누군가가 내 상처를 그렇게 대한다면
나는 마음이 한결 가벼워지는 것이 아니라
상처를 꽁꽁 감추고 그 사람의 곁에서
멀리 도망치고 싶은 욕구가 들 테니까.

가끔은 타인의 상처를 보고도 모른 척 할 줄 알아야 한다.
어쩌면 내가 건드리는 순간 그 사람의 마음은
순식간에 추락해버릴지도 모르는 거니까.

남은 삶

내가 사랑하는 누군가가 몸이 안 좋아져서
남은 삶이 얼마 남지 않고 위태로워졌다고 치자.
이런 상황에서 사람들은 대부분 큰 슬픔에 빠질 것이다.
더는 손 쓸 수 없는 상태까지 와버렸다는 생각과
당장 이 사람을 떠나보낼 것을 상상하기라도 하면
눈물이 멈추지 않아서 가슴 아파하는 거다.

나는 만약 내가 사랑하는 누군가가 아프게 된다면
그로 인해 우울해하고 힘들어한다면
나까지 슬픔에 젖어있지 않으려 애쓸 것이다.
남은 시간동안 평소에 하고 싶은 것들을 함께 해주면서
소중한 순간들을 선물할 거다.

삶의 방향은 야속하게도 쉽게 바뀌지 않으니까.
당사자는 누구보다 자신의 삶이 걱정이고 또 힘들 텐데,
그럴 때일수록 평소에 해보지 못한 것들을
함께 해주는 게 곁에 있는 사람의 역할이 아닐까 해서.

나를 알아주는 소수의 사람

요즘은 카톡 친구가 몇 명인지,
페이스북 친구가 몇 명인지를 따진다면
10년 전에는 핸드폰 연락처에 얼마나 많은 사람이
저장되어 있는지를 비교했던 것 같다.
발이 넓은 친구들, 아는 사람이 많은 친구는
수많은 연락처를 안다며 자랑을 하듯 말하곤 했었는데
왠지 나는 조금도 부럽지가 않았다.

100명이 저장된 연락처를 가진 사람보다
연락처에 저장된 사람이 10명도 채 안 되지만
마음이 통하는 사람이 확실하게 있는 것이
훨씬 부러웠으며 더 행복할 것이라 확신했다.

살아가면서 뼈저리게 느낀 것 중 하나는
너무 많은 인간관계는 쓸모없다는 것.
내 마음을 알아주는 소수의 사람만 있으면 된다는 것이더라.

관계의 반경을 너무 넓게 잡을 필요가 없다.
그저 손 뻗으면 닿을 거리에,
살아가면서 문득 만날 수 있는 위치에
존재하고 있는 몇 명의 사람만 있으면
많은 관계를 거느리지 않아도 충분히 행복할 수 있다.

간혹 인간관계는 넓으면 넓을수록 좋은 거라 착각하고
내 곁에 있는 사람들을 지키지도 못하면서
관계의 수를 늘리기에만 여념이 없는 사람들이 있는데
결국, 내 곁에 남는 사람은
마음을 알아주는 소수의 사람이라는 것과
대부분의 관계는 바람처럼 잠시 있다 떠나가는 존재라는 것을
부디 마음속에서 잊어버리지 않기를 바란다.

마음에 맞는 사람이 내 곁에 있음에도
군이 다른 관계를 위해 애쓸 필요는 없다.
좋은 사람이 내 곁에 있는데도 다른 누군가를 계속 찾는 것은
시간이 흐른 뒤 관계를 감당하지 못할 가능성이 크다.
그러다 내 곁에 있던 사람마저 잃어버릴 수 있으니까.
관계는 내가 신경 써줄 수 있는 만큼만 있어도 충분하다.
너무 많은 관계로 나를, 사람들을 힘들게 할 필요 없다.

당신은 지금도 분명 빛나는 사람

친구들의 고민 상담을 듣다 보면
간혹 '내 남자친구는 주위에 예쁜 여자가 너무 많아.'
'나는 그 사람의 주변에 있는 사람들보다
뛰어난 것도 아닌데 왜 나를 만나는 거지?'와
같은 말을 들을 때가 있다.

그리고 그런 친구들을 자세히 살펴보면
대부분 자존감이 낮고
자신이 다른 사람들보다 멋진 것 같지 않으면
자신의 가치를 낮춤과 동시에
사랑까지도 의심하고 있었다.

그런 문제는 왜 생기는 걸까.
그건 내가 가진 것들을 바라보지 못하고
겉으로 보이고, 남들에게 보이는 것들을
너무 의식하며 살고 있다는 것일지도 모르겠다.

나보다 멋진 옷을 입고 있는
남자친구의 주위 사람을 보며
내가 볼품없다고 느끼며 사랑을 의심하는 거다.
나는 그런 친구들에게 공통적으로 하는 말이 있다.

"겉으로 보이는 것에 너의 가치를 가두지 마."

사람에게는 수많은 가치가 있고
그리고 더 중요한 저마다의 매력이 있다.
내 가치를 겉으로 보이는 것에 가두면
나는 언제나 있어 보여야 하고 멋져 보여야 할 테지만
내가 만들어 놓은 테두리를 벗어나는 그 순간,
가려져 있던 매력들을 보게 될 것이다.
사랑하는 사람이 나를 좋아하는 이유를
혼자 생각하고 판단해서 상처받지 않길 바란다.
그 사람의 주변에 빛나는 사람들이 아무리 많아도
당신을 선택한 것은
당신이 그보다 더 빛나는 존재이기 때문이다.

첫눈

새벽 내내 뒤척이다 오전 7시에 간신히 눈을 붙였는데,
첫눈이 온다는 소리에 벌떡 일어나 밖으로 나갔다.
첫눈 같은 사람이 되고 싶다.
졸려 미치겠는데도 뛰쳐나올 수밖에 없게 만드는 사람.

나는 누군가에게 저렇게 내려진 적 있을까.
괜히 쓸데없는 생각을 한다.

에필로그

그동안 나를 잘 안다고 생각했는데 그건 착각이었습니다.
나를 위해 시간을 쓴 것도, 나를 위해 마음을 쓴 것도
턱 없이 부족하다는 것을 알게 됐습니다.

한 계절이 오고 한 계절이 떠날 때마다
늘 아쉬움만을 안고 살았습니다만
이제는 그러지 않으려고 합니다.

인생에서 제일 중요한 것은 결국 나 자신,
나의 행복이라는 것을
책을 쓰게 되면서 더욱더 깨닫게 됐으니까요.

이 책을 통해서 여러분들도 그동안 몰랐던 자신을
새롭게 알 수 있었으면 좋겠습니다.

몰랐던 나와 친해지고, 깊어지고
타인과의 관계에서 건강한 '나'로 존재하는 것.
나를 위한 삶을 우선으로 생각하며
그 누구보다 자신을 사랑하는 사람이 되기를.
살아가는 순간마다 웃는 당신이 있기를 바랍니다.

타인을 안아주듯
나를 안았다

1판 1쇄 발행 2019년 6월 28일
1판 4쇄 발행 2022년 2월 28일

지은이 혼글

발행인 양원석　**편집장** 차선화　**책임편집** 이슬기
디자인 남미현, 김미선　**일러스트** 정수지
영업마케팅 윤우성, 강효경, 박소정

펴낸 곳 ㈜알에이치코리아
주소 서울시 금천구 가산디지털2로 53, 20층 (가산동, 한라시그마밸리)
편집문의 02-6443-8916　**도서문의** 02-6443-8800
홈페이지 http://rhk.co.kr　**등록** 2004년 1월 15일 제2-3726호

ISBN 978-89-255-6702-0 (03810)

※ 이 책은 ㈜알에이치코리아가 저작권자와의 계약에 따라 발행한 것이므로
　본사의 서면 허락 없이는 어떠한 형태나 수단으로도 이 책의 내용을 이용하지 못합니다.
※ 잘못된 책은 구입하신 서점에서 바꾸어 드립니다.
※ 책값은 뒤표지에 있습니다.